Gatos Guerreiros
Na Floresta

ERIN HUNTER

GATOS GUERREIROS
NA FLORESTA

Tradução
MARILENA MORAES

Revisão da tradução
SILVANA VIEIRA

Esta obra foi publicada originalmente em inglês com o título
WARRIORS 1 – INTO THE WILD
por HarperCollins Children's Books (USA)
e em paperback por HarperCollins Children's Books na Inglaterra, 2003.

1ª edição *2010*
8ª tiragem *2024*

Tradução
MARILENA MORAES

Revisão da tradução
Silvana Vieira
Acompanhamento editorial
Márcia Leme
Revisões
Luciana Veit
Ivani Cazarim
Edição de arte
Katia Harumi Terasaka
Produção gráfica
Geraldo Alves
Paginação
Studio 3 Desenvolvimento Editorial
Arte e design da capa
©Hauptmann & Kompanie, Zurique

Dados Internacionais de Catalogação na Publicação (CIP)
(Câmara Brasileira do Livro, SP, Brasil)

Hunter, Erin
Gatos guerreiros : na floresta / Erin Hunter ; traduzido por Marilena Moraes. – São Paulo : Editora WMF Martins Fontes, 2010.

Título original: Warriors 1 : into the wild.
ISBN 978-85-7827-238-8

1. Literatura infantojuvenil I. Título.

09-12929 CDD-028.5

Índices para catálogo sistemático:
1. Literatura infantojuvenil 028.5
2. Literatura juvenil 028.5

Editora WMF Martins Fontes Ltda.
Rua Prof. Laerte Ramos de Carvalho, 133 01325.030 São Paulo SP Brasil
Tel. (11) 3293.8150 e-mail: info@wmfmartinsfontes.com.br
http://www.wmfmartinsfontes.com.br

Para Billy – que deixou nossa casa no Lugar dos Duas-Pernas para se tornar um guerreiro, e de quem ainda sentimos muita saudade. E para Benjamin, seu irmão, que está com ele agora no Clã das Estrelas.

Agradecimentos especiais a Kate Cary.

AS ALIANÇAS

clã do trovão

LÍDER	**ESTRELA AZUL** – gata azul-acinzentada, de focinho prateado
REPRESENTANTE	**RABO VERMELHO** – pequeno gato atartarugado, com inconfundível cauda avermelhada. **APRENDIZ, PATA DE POEIRA**
CURANDEIRA	**FOLHA MANCHADA** – bela gata atartarugada escura, com inconfundível pelo sarapintado.
GUERREIROS	(gatos e gatas sem filhotes):
	CORAÇÃO DE LEÃO – imponente gato malhado, com pelo dourado denso como juba de leão. **APRENDIZ, PATA CINZENTA**
	GARRA DE TIGRE – gatão marrom-escuro, de pelo malhado, com garras dianteiras excepcionalmente longas. **APRENDIZ, PATA NEGRA**
	NEVASCA – gatão branco. **APRENDIZ, PATA DE AREIA**
	RISCA DE CARVÃO – gato de pelo macio, malhado de preto e cinza.
	RABO LONGO – gato de pelo desbotado com listas pretas.
	VENTO VELOZ – gato malhado e veloz.
	PELE DE SALGUEIRO – gata cinza-claro, com excepcionais olhos azuis.
	PELO DE RATO – pequena gata de pelo marrom-escuro.

APRENDIZES (com idade superior a seis luas, em treinamento para se tornarem guerreiros)

PATA DE POEIRA – gato malhado em tons marrom--escuros.

PATA CINZENTA – gato de longo pelo cinza-chumbo.

PATA NEGRA – pequeno gato preto, magro, com um minúsculo sinal branco no peito e cauda de ponta branca.

PATA DE AREIA – gata de pelo alaranjado.

PATA DE FOGO – belo gato de pelo avermelhado.

RAINHAS (gatas que estão grávidas ou amamentando)

PELE DE GEADA – com belíssimo pelo branco e olhos azuis.

CARA RAJADA – bonita e malhada.

FLOR DOURADA – pelo alaranjado claro.

CAUDA SARAPINTADA – malhada, cores pálidas, a rainha mais velha do berçário.

ANCIÃOS (antigos guerreiros e rainhas, agora aposentados)

MEIO RABO – gatão marrom-escuro, sem um pedaço da cauda.

ORELHINHA – gato cinza, de orelhas muito pequenas; gato mais velho do Clã do Trovão.

RETALHO – pequeno gato de pelo preto e branco.

CAOLHA – gata cinza-claro, membro mais antigo do Clã do Trovão, praticamente cega e surda.

CAUDA MOSQUEADA – gata casco atartarugada, belíssima em outros tempos, com bonito pelo sarapintado.

clã das sombras

LÍDER	**ESTRELA PARTIDA** – gato malhado de marrom-escuro, pelo longo.
REPRESENTANTE	**PÉ PRETO** – gatão branco, com enormes patas pretas retintas.
CURANDEIRO	**NARIZ MOLHADO** – pequeno gato de pelo cinza e branco.
GUERREIROS	**CAUDA TARRACHO** – gato malhado, marrom. **APRENDIZ, PATA MARROM**
	ROCHEDO – gato malhado de prateado. **APRENDIZ, PATA MOLHADA**
	CARA RASGADA – gato marrom, com cicatrizes de batalhas. **APRENDIZ, PATA PEQUENA**
	MANTO DA NOITE – gato preto.
RAINHAS	**NUVEM DA AURORA** – pequena gata malhada.
	FLOR DE LUZ – gata de pelo preto e branco.
ANCIÃOS	**PELO DE CINZAS** – gato cinzento e magro.

clã do vento

LÍDER — **ESTRELA ALTA** – gato branco e preto, de cauda muito longa.

clã do rio

LÍDER — **ESTRELA TORTA** – gato enorme, de pelo claro e mandíbula torta.

REPRESENTANTE — **CORAÇÃO DE CARVALHO** – gato de pelo marrom-avermelhado.

gatos que não pertencem a clãs

PRESA AMARELA – velha gata de pelo escuro e cara larga e achatada.

BORRÃO – gatinho roliço e simpático, de pelo preto e branco, que mora numa casa à beira da floresta.

CEVADA – gato preto e branco, que mora numa fazenda perto da floresta.

Pedras Altas
Fazenda do Cevada
Acampamento do Clã do Vento
Quatro Árvores
Queda-d'Água
Árvore da Coruja
Rio
Rochas Ensolaradas
Acampamento do Clã do Rio

Ponto da Carniça
Acampamento do Clã das Sombras
Trovão
Acampamento do Clã do Trovão
Grande Plátano
Rochas das Cobras
Pinheiros Altos
Ponto de Corte de Árvores
Lugar dos Duas-Pernas
Clã do Trovão
Clã do Rio
Clã das Sombras
Clã do Vento
Clã das Estrelas

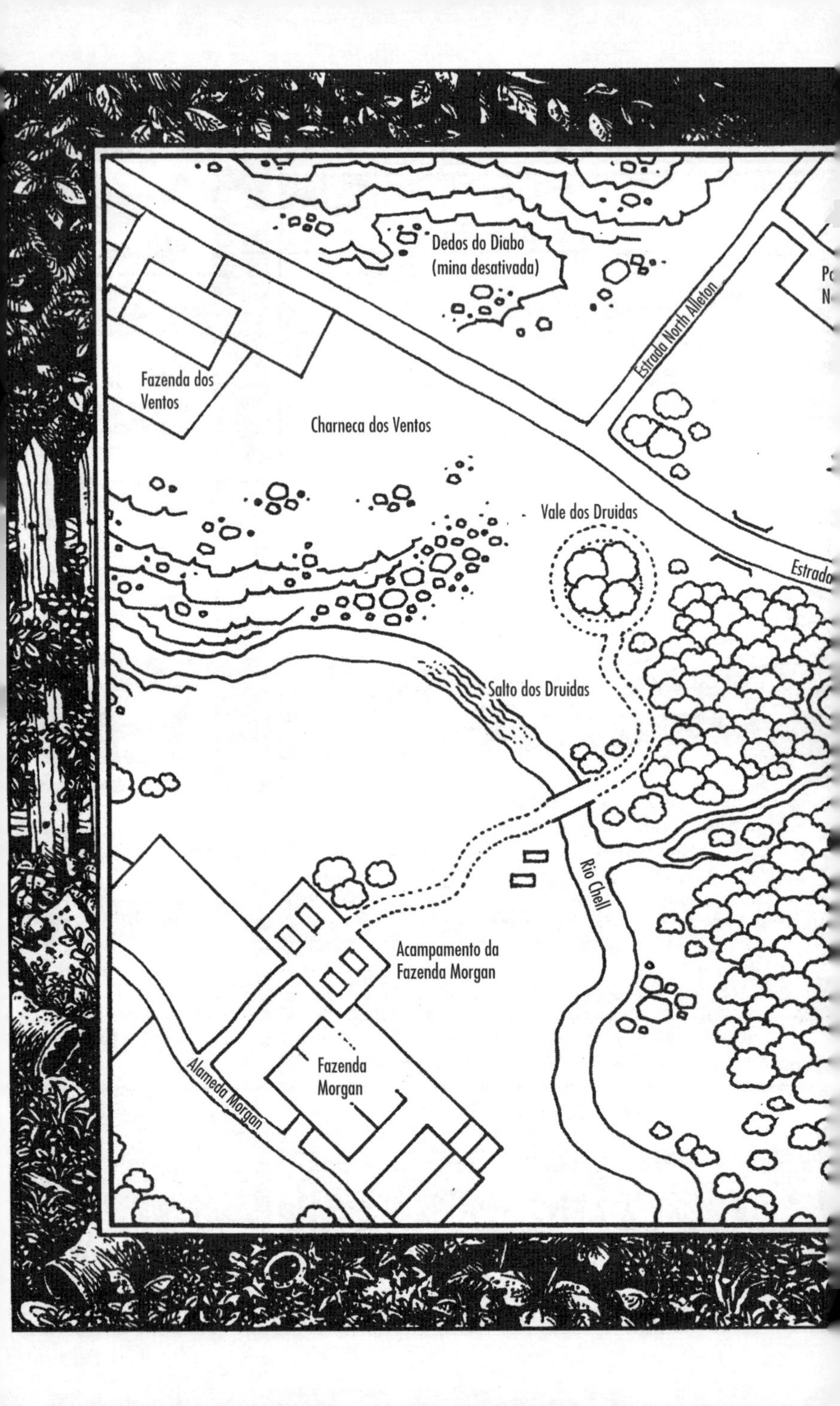
Dedos do Diabo
(mina desativada)
Estrada North Alleton
Fazenda dos
Ventos
Charneca dos Ventos
Vale dos Druidas
Estrada
Salto dos Druidas
Rio Chell
Acampamento da
Fazenda Morgan
Fazenda
Morgan
Alameda Morgan

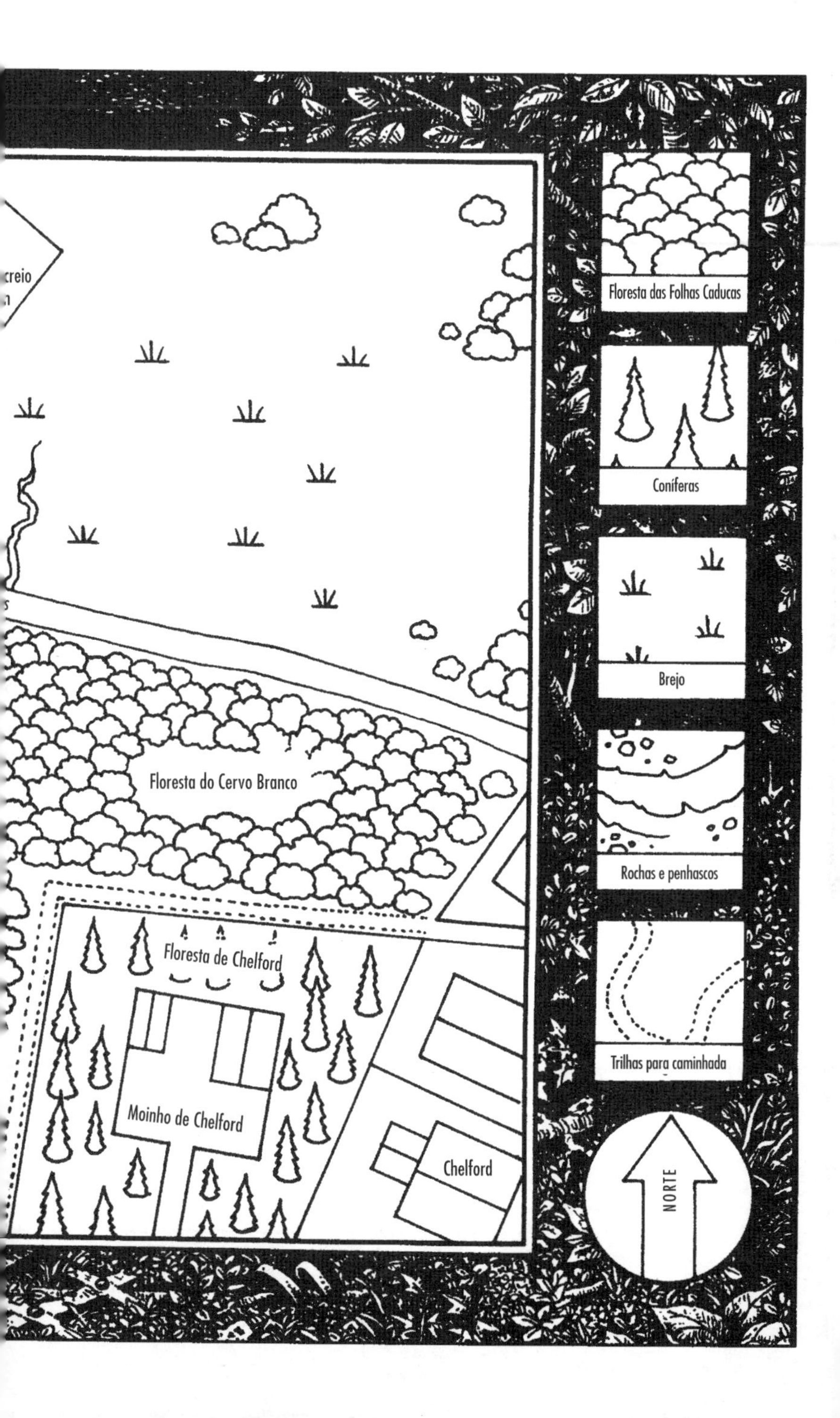
Floresta das Folhas Caducas
Coníferas
Brejo
Rochas e penhascos
Trilhas para caminhada
NORTE
Floresta do Cervo Branco
Floresta de Chelford
Moinho de Chelford
Chelford

PRÓLOGO

A MEIA-LUA brilha sobre as rochas de granito liso, deixando-as prateadas. O silêncio é quebrado apenas pela ondulação das águas inquietas do rio negro e pelo sussurro das árvores na floresta mais adiante.

Há uma agitação nas sombras e, por todo lado, figuras ágeis e escuras rastejam furtivamente sobre as pedras. Garras à mostra faíscam à luz da lua e olhos desconfiados cintilam como âmbar. Então, como se obedecessem a um sinal silencioso, as criaturas saltam umas sobre as outras; de repente, gatos lutam aos gritos, dando vida ao granito.

No meio do frenesi de pelos e garras, um enorme gato malhado eleva a cabeça em triunfo ao imobilizar um outro, cor de xaxim, no solo. – Coração de Carvalho! – ruge o agressor. – Como ousa caçar em nosso território? As Rochas Ensolaradas pertencem ao Clã do Trovão!

– Depois desta noite, Garra de Tigre, este território passa a ser apenas outra zona de caça do Clã do Rio! – responde o gato cor de xaxim, cuspindo as palavras.

Um uivo de alerta, estridente e ansioso, chega da margem do rio: – Cuidado! Aí vêm mais guerreiros do Clã do Rio! – Garra de Tigre se vira e vê corpos lustrosos e molhados saindo da água abaixo das rochas. Os guerreiros do Clã do Rio, encharcados e em silêncio, vão para a beira e se precipitam na batalha, sem nem sequer se preocupar em sacudir a água do pelo.

O gato escuro lança um olhar furioso para Coração de Carvalho. – Você e seus guerreiros podem nadar como lontras, mas não pertencem a esta floresta! – Ele arreganha a boca, mostrando os dentes, enquanto o gato se debate sob seu corpo.

No meio do alarido se destaca o grito desesperado de uma gata do Clã do Trovão. Um felino de pelo eriçado do Clã do Rio conseguiu imobilizar a guerreira marrom, deitando-a de barriga no chão. Agora ele lhe ataca o pescoço; da boca ainda pinga a água do rio.

Garra de Tigre ouve o grito e solta Coração de Carvalho. Com um pulo vigoroso, afasta da gata o guerreiro inimigo e ordena: – Depressa, Pelo de Rato, corra! – grita, antes de atacar o gato do Clã do Rio, que tinha ameaçado a amiga. Pelo de Rato obedece, tropeçando nas próprias patas e tremendo por causa de um profundo corte no ombro.

Atrás dela, Garra de Tigre cospe com raiva quando o gato do Clã do Rio lhe abre uma fenda no nariz. O sangue o cega por um instante, mas ele se joga para a frente de qualquer maneira e crava os dentes na perna traseira do inimigo. O gato do Clã do Rio dá um grito agudo e consegue se soltar.

– Garra de Tigre! – O rugido vem de um guerreiro de cauda vermelha como pelo de raposa. – Isso é inútil! São inúmeros os guerreiros do Clã do Rio!

– Não, Rabo Vermelho. O Clã do Trovão jamais será vencido – vocifera Garra de Tigre, pulando para o lado do companheiro. – Este território é nosso! – O sangue jorra de seu focinho largo e negro, e ele sacode a cabeça, impaciente, espalhando gotas vermelhas pelas rochas.

– O Clã do Trovão vai reconhecer sua coragem, Garra de Tigre, mas não podemos nos dar ao luxo de perder mais nenhum guerreiro – Rabo Vermelho argumenta. – Estrela Azul jamais admitiria que seus guerreiros lutassem em situação tão adversa. Teremos outra oportunidade para vingar esta derrota! – Ele recebe com firmeza o olhar cor de âmbar de Garra de Tigre; dá um passo para trás e salta para a pedra à beira da floresta.

– Bater em retirada, Clã do Trovão! Em retirada! – ele grita. Imediatamente os guerreiros se contorcem e conseguem se desvencilhar dos adversários. Salivando e rosnando, recuam na direção de Rabo Vermelho. Pelo espaço de uma batida de coração, os gatos do Clã do Rio ficam confusos. Teria sido assim tão fácil vencer a batalha? Coração de Carvalho dá um grito de alegria. Assim que o ouvem, os guerreiros do Clã do Rio elevam as vozes e se juntam ao seu representante, comemorando a vitória.

Rabo Vermelho olha para seus guerreiros. Com um movimento rápido da cauda, dá o sinal. Os gatos do Clã do Trovão penetram na mata em direção às Rochas Ensoladas e desaparecem entre as árvores.

Garra de Tigre é o último. Hesita à beira da floresta e olha para trás, para o campo de batalha manchado de sangue. Seu rosto é assustador; os olhos, fendas raivosas. Então, com um salto, ele se embrenha na floresta silenciosa, para se juntar ao Clã.

É noite. Numa clareira deserta, uma gata olha para o céu. Está sozinha; é velha e acinzentada. Em meio às sombras, ouve a respiração e sente a inquietude dos gatos que dormem.

Uma pequena gata atartarugada surge de um canto escuro, com passos rápidos e silenciosos.

A gata cinza abaixa a cabeça num cumprimento. – Como está Pelo de Rato? – mia.

– As feridas são profundas, Estrela Azul – responde a atartarugada, acomodando-se na grama úmida pelo orvalho. – Mas ela é jovem e forte; logo vai ficar boa.

– E os outros? – pergunta Estrela Azul.

– Também vão se recuperar.

Estrela Azul suspira. – Temos sorte de não ter perdido nenhum dos nossos guerreiros dessa vez. Você é uma curandeira talentosa, Folha Manchada. – Ela volta a inclinar a cabeça, observando as estrelas. – Estou profundamente perturbada com a derrota de hoje. Desde que me tornei a chefe do Clã do Trovão, jamais tínhamos sido vencidos em nosso próprio território – murmura. – São tempos difíceis para o nosso clã. A estação do renovo está atrasada, e nasceram menos filhotes. Para sobreviver, o Clã do Trovão precisa contar com mais guerreiros.

– Mas o ano mal começou – observa calmamente Folha Manchada. – Haverá mais filhotes quando chegar a estação das folhas verdes.

A gata cinza balança os ombros largos. – Talvez. Mas leva tempo para adestrar os jovens para a guerra. Para o Clã do Trovão defender seu território, é necessário que haja novos guerreiros logo que possível.

– Você está pedindo respostas ao Clã das Estrelas? – mia Folha Manchada com delicadeza, seguindo o olhar de Estrela Azul e contemplando a faixa de estrelas que piscam no céu escuro.

– É em horas assim que precisamos das palavras de antigos guerreiros para nos ajudar. O Clã das Estrelas se comunicou com você? – pergunta a líder.

– Não; e já se passaram algumas luas, Estrela Azul.

De súbito, uma estrela cadente risca o céu sobre as árvores. A cauda de Folha Manchada estremece e o pelo ao longo da espinha se arrepia.

As orelhas de Estrela Azul se retesam, mas ela mantém silêncio enquanto Folha Manchada continua a fitar o céu.

Depois de alguns instantes, Folha Manchada abaixa a cabeça e se dirige a Estrela Azul: – Foi uma mensagem do Clã das Estrelas – sussurra. Seu olhar se torna distante. – Só o fogo pode salvar nosso clã.

– O fogo? – Estrela Azul repete. – Mas o fogo é temido por todos os clãs! Como pode nos salvar?

Folha Manchada balança a cabeça. – Não sei – admite.

– Mas essa foi a mensagem que o Clã das Estrelas decidiu partilhar comigo.

A líder do Clã do Trovão fixa os olhos azuis e claros na curandeira e mia: – Você nunca se enganou até agora, Folha Manchada. Se o Clã das Estrelas falou, assim será. O fogo vai salvar nosso clã.

CAPÍTULO 1

Estava muito escuro. Ferrugem sentia que havia algo por perto. O jovem gato arregalou os olhos ao observar atentamente a vegetação. Não conhecia o lugar, mas os odores estranhos o atraíam em direção às sombras. A barriga roncava, lembrando-lhe a fome. Abriu ligeiramente a boca para deixar os cheiros fortes da floresta alcançarem as glândulas olfativas do céu da boca. Odores bolorentos de humo de folha se misturavam com o aroma tentador de uma criatura pequena e peluda.

De súbito, um risco cinza passou correndo por ele. Ferrugem ficou parado, prestando atenção. Alguma coisa se escondia entre as folhas, a menos de duas caudas de distância. Sabia que era um camundongo – sentia, no fundo do pelo das orelhas, o rápido pulsar de um pequeno coração. Ferrugem salivou, tranquilizando o estômago barulhento. Em breve sua fome seria satisfeita.

Agachou-se lentamente, preparando-se para o ataque. Estava na direção contrária à do vento; sabia que o camundongo não tinha conhecimento da sua presença. Ferrugem examinou mais uma vez a posição da presa, jogou bem os quadris para trás e pulou, levantando as folhas caídas no chão da floresta.

O camundongo procurou um buraco no chão onde se esconder. Mas Ferrugem foi mais rápido. Conseguiu apanhá-lo no ar, prendendo a criatura indefesa com as garras afiadas, atirando-a para o alto e vendo-a cair no chão coberto de folhas. O camundongo aterrissou aturdido, mas vivo. Tentou correr, mas o gato voltou a agarrá-lo. Jogou-o longe mais uma vez, agora um pouco mais adiante. O camundongo ainda conseguiu dar alguns passos trôpegos antes de Ferrugem alcançá-lo.

Foi quando se ouviu um forte barulho, que fez Ferrugem olhar à volta. Com isso, o camundongo conseguiu se soltar. Quando Ferrugem se virou, viu a presa disparar na escuridão entre as raízes entrelaçadas de uma árvore.

Zangado, Ferrugem desistiu da caça. Girou o corpo, com os olhos verdes atentos, procurando descobrir o que era o barulho que lhe custara o almoço. O ruído, como o de pedrinhas caindo numa superfície dura, tornou-se mais familiar. Ferrugem arregalou os olhos.

A floresta tinha desaparecido. Ele se viu numa cozinha quente e abafada, enroscado na cama. A luz da lua passava pelas janelas, lançando sombras no chão liso e regular. O barulho fora causado pelas bolinhas de ração dura, seca, colocadas na sua tigela. Ferrugem tinha sonhado.

O gato levantou a cabeça e apoiou o queixo na lateral da cama. Sentia uma coceira incômoda sob a coleira. No sonho, tinha sentido uma corrente de ar fresco despentear o pelo macio onde a coleira normalmente pinicava. Ferrugem rolou o corpo no chão e saboreou o sonho por mais alguns momentos. Ainda percebia cheiro de camundongo. Era a terceira vez desde a lua cheia que tinha o mesmo sonho; e todas as vezes o camundongo escapara de suas garras.

Ferrugem passou a língua nos lábios. Da cama sentia o cheiro pouco apetitoso da ração. Os donos sempre enchiam sua tigela antes de ir dormir. O odor poeirento afugentou os cheiros prazerosos do sonho. Mas o estômago continuava roncando e o gato espichou as patas para acordar, atravessando a cozinha para jantar. A comida lhe pareceu seca e sem gosto. Relutante, Ferrugem engoliu mais uma porção. Afastou-se da tigela e saiu pela pequena passagem recortada na porta da cozinha, esperando que o cheiro do jardim trouxesse de volta a sensação do sonho.

Do lado de fora, a lua brilhava. Chovia fino. Alerta, Ferrugem percorreu o jardim bem cuidado, seguindo o caminho de cascalho iluminado pelas estrelas, sentindo as pedrinhas frias e cortantes sob as patas. Defecou debaixo de um arbusto de folhas verdes brilhantes e flores muito roxas, cujo perfume excessivamente doce impregnava o ar úmido. O gato retorceu o lábio para espantar aquele cheiro das narinas.

Em seguida, instalou-se no alto da cerca que marcava os limites do jardim. Era um dos seus lugares favoritos, pois dali podia ver os jardins vizinhos e também a densa floresta verde do outro lado.

A chuva tinha parado. Atrás dele, a grama cortada rente estava banhada pelo luar; mas, além da cerca, a floresta estava cheia de sombras. Ferrugem esticou o pescoço para inspirar o ar úmido. A pele estava morna e seca sob a grossa pelagem, mas ele sentia o peso das gotas de chuva que pingavam no pelo avermelhado.

Ouviu os donos chamando-o da porta dos fundos. Se fosse para casa, seria recebido com carinhos e palavras gentis; seria acolhido na cama deles, onde se enroscaria, ronronando, quentinho na dobra de um joelho.

Mas, dessa vez, Ferrugem ignorou as vozes dos donos e voltou a olhar para a floresta. O cheiro fresco da vegetação tinha se acentuado depois da chuva.

De repente, sentiu o pelo da espinha se arrepiar. Seria alguma coisa se mexendo lá fora? Alguma coisa que o observava? Ferrugem arregalou os olhos, mas era impossível ver ou farejar qualquer coisa no ar escuro e impregnado do cheiro das árvores. Levantou o queixo, destemido; ficou de pé e espichou o corpo, cravando as garras na cerca enquanto esticava as pernas e arqueava as costas. Fechou os olhos e inalou o cheiro da floresta mais uma vez. O odor parecia lhe prometer alguma coisa, atraindo-o na direção das sombras sussurrantes. Tensionando os músculos, agachou-se por um momento. Pulou com leveza na direção da grama irregular do outro lado da cerca. Ao pousar, o guizo do pescoço soou no silêncio da noite.

– Aonde você está indo, Ferrugem? – uma voz familiar miou atrás dele.

Ferrugem olhou para cima. Um jovem gato preto e branco se equilibrava sem jeito na cerca.

– Olá, Borrão – Ferrugem respondeu.

– Você não vai entrar na floresta, vai? – perguntou Borrão, arregalando os olhos cor de âmbar.

– Vou só dar uma olhadinha – Ferrugem prometeu, remexendo-se com certo incômodo.

– Eu é que não vou com você. É perigoso! – disse Borrão, franzindo o nariz negro para expressar seu desagrado. – Henry disse que uma vez entrou na floresta. – O gato ergueu a cabeça e apontou com o nariz na direção além da cerca, para o jardim onde Henry morava.

– Aquele gato gordo e velho nunca entrou na floresta! – Ferrugem debochou. – Ele mal saiu do próprio jardim desde a ida ao veterinário. Só pensa em comer e dormir.

– Não é bem assim. Ele apanhou um papo-roxo lá! – Borrão insistiu.

– Se isso aconteceu, foi antes de ir ao veterinário. Ele agora *reclama* dos passarinhos que perturbam o seu cochilo.

– De qualquer maneira – Borrão continuou, ignorando o sarcasmo contido no miado do amigo –, Henry me disse que, na floresta, existe todo tipo de animais perigosos. Enormes felinos, selvagens, que comem coelhos vivos no café da manhã e afiam as patas em ossos velhos!

– Vou só dar uma espiada – Ferrugem miou. – Não vou demorar.

– Depois não diga que não avisei! – ronronou Borrão, que então virou-se, pulando da cerca para seu jardim.

Ferrugem sentou na grama maltratada além da cerca. Deu uma lambida nervosa no ombro, perguntando-se quanto havia de verdade nas palavras de Borrão.

De repente, seu olho percebeu o movimento de uma pequena criatura, que corria para baixo de uns arbustos.

O instinto o fez se agachar. Devagar, uma pata depois da outra, rastejou para a frente, no meio da vegetação. As orelhas se retesaram, as narinas se aguçaram; sem piscar, foi na direção do animal. Ele o via claramente agora, sentado entre os galhos farpados, mordiscando uma grande semente que tinha entre as patas. Era um camundongo.

Ferrugem balançou os quadris de um lado para o outro, preparando-se para pular. Prendeu a respiração para evitar que o guizo voltasse a tocar. Estava tão empolgado que o coração acelerou. Era ainda melhor que o sonho! Foi quando o estalo repentino de galhos e folhas secas o fez saltar. O guizo ressoou, traiçoeiro, e o camundongo escapou velozmente pela parte mais espessa do emaranhado dos arbustos.

Impassível, Ferrugem olhou à volta. Viu mais adiante a ponta branca de um rabo vermelho e peludo passando por uma moita de samambaias altas. O cheiro era forte e estranho; tratava-se, sem dúvida, de um carnívoro; mas não era gato nem cachorro. Distraído, Ferrugem se esqueceu do camundongo e ficou observando curiosamente o rabo vermelho. Queria vê-lo melhor.

Todos os sentidos de Ferrugem se aguçaram quando ele se pôs a avançar. Então, percebeu outro barulho, que vinha de trás, mas parecia surdo e distante. Girou as orelhas para trás para ouvir melhor. *Seriam patas?*, perguntou-se, sem desviar o olhar do pelo estranho e vermelho; e seguiu em frente, sorrateiro. Foi só quando o som ficou mais claro às suas costas e as folhas estalaram mais perto que Ferrugem se deu conta de que estava em perigo.

A criatura o atingiu como uma explosão e Ferrugem foi jogado para o lado em uma moita de urtigas. Ele se contorceu e gritou, tentando escapar do agressor que se colocara às suas costas e o prendera com garras incrivelmente afiadas. Sentiu no pescoço os dentes pontudos. Encolheu o corpo, retorcendo-se dos bigodes à cauda, sem conseguir se soltar. Por um instante se viu indefeso; ficou imóvel. Pensando rápido, jogou-se de costas no chão. Por instinto, sabia como era perigoso expor a barriga macia, mas era sua única chance.

Teve sorte – a manobra pareceu funcionar. Ouviu um "uuufff" sob o corpo, como se o agressor tivesse perdido o fôlego. Debatendo-se com violência, Ferrugem conseguiu se libertar. Sem olhar para trás, disparou de volta para casa.

Atrás dele, um barulho de patas avisava que o atacante não desistira. Mesmo com as feridas doendo sob o pelo, Ferrugem decidiu que era melhor virar-se e enfrentá-lo do que ser novamente atacado.

Parou com uma derrapada e, girando, encarou a criatura que o perseguia.

Era outro jovem gato, de pelo cinza, grosso e felpudo, com pernas fortes e rosto largo. Num tique-taque de coração, Ferrugem percebeu pelo cheiro que se tratava de um macho e pressentiu a força de seus ombros firmes sob a pelagem macia. Foi quando o agressor pulou sobre ele a toda velocidade. Pego de surpresa pela guinada de Ferrugem, o gato, atordoado, se esborrachou.

O impacto deixou Ferrugem sem fôlego, e ele cambaleou. Mas logo se colocou de pé e arqueou as costas, eriçando o pelo alaranjado, pronto para pular em cima do outro gato. Mas o agressor simplesmente sentou e começou a lamber a pata dianteira, sem nenhum sinal de agressividade.

Ferrugem sentiu-se estranhamente desapontado. Cada membro do seu corpo estava tenso, pronto para lutar.

– Ei, você aí, seu gatinho de gente! – miou, animado, o felino cinza. – Para um gato doméstico, você até que luta muito bem!

Ferrugem manteve-se na ponta dos pés por um instante, a se perguntar se voltava a atacar ou não. Mas lembrou-se da força das patas do agressor quando fora imobilizado no chão. Então abaixou-se, soltou os músculos e esticou as costas. – E vou lutar com você de novo se for necessário – rosnou.

– A propósito, meu nome é Pata Cinzenta – continuou o gato cinza, ignorando a ameaça de Ferrugem. – Estou em treinamento para ser um guerreiro do Clã do Trovão.

Ferrugem permaneceu em silêncio. Não entendia o que aquele Cinza alguma coisa estava miando, mas sentiu que a ameaça tinha passado. Disfarçou sua confusão inclinando-se para lamber o peito eriçado.

– O que um gatinho de gente como você está fazendo na floresta? Não sabe que é perigoso? – perguntou Pata Cinzenta.

– Se *você* é a coisa mais perigosa que a floresta tem para oferecer, acho que posso encarar – Ferrugem desdenhou.

Pata Cinzenta olhou-o por um momento, estreitando os grandes olhos amarelos. – Ah, estou longe de ser o mais perigoso. Se eu fosse ao menos meio-guerreiro, teria ferido de verdade um intruso como você.

Ferrugem sentiu um arrepio de medo ao ouvir as terríveis palavras. O que é que aquele gato queria dizer com "intruso"?

– De qualquer maneira – miou Pata Cinzenta, usando os dentes afiados para tirar um pedaço de grama entre as garras –, não achei que valia a pena machucá-lo. Está na cara que você não pertence a um dos outros clãs.

– Outros clãs? – Ferrugem, confuso, repetiu.

Pata Cinzenta deu um assovio impaciente. – Você deve ter ouvido falar dos quatro clãs de guerreiros que caçam nesta área! Eu pertenço ao Clã do Trovão. Os outros clãs estão sempre tentando roubar as presas do nosso território, principalmente o Clã das Sombras. *Eles* são tão ferozes que teriam cortado você em tiras, sem nenhuma pergunta.

Pata Cinzenta parou de falar para cuspir com raiva e continuou. – Eles vêm para tomar as presas que são nossas por direito. É tarefa dos guerreiros do Clã do Trovão mantê-los fora do nosso território. Quando terminar meu treinamento, também serei tão perigoso que farei os outros clãs tremerem nas peles pulguentas. Eles não vão ousar se aproximar de nós!

Ferrugem estreitou os olhos. Aquele devia ser um dos gatos selvagens sobre os quais Borrão o tinha alertado! Vivendo sem luxo na floresta, caçando e lutando uns contra os outros pelo último pedaço de comida. Mesmo assim, Ferrugem não sentiu medo. Na verdade, era difícil não admirar aquele gato confiante. – Você ainda não é um guerreiro? – perguntou.

– Por quê? Pensou que eu fosse? – Pata Cinzenta miou, orgulhoso, balançando a cabeça larga e peluda. – Falta ainda muito tempo para eu ser um guerreiro de verdade. Primeiro preciso passar pelo treinamento. Os jovens precisam ter seis luas de idade antes de sequer *começar* o treinamento. Hoje é a minha primeira noite como aprendiz.

– Por que você não arruma um dono com uma casa bonita e aconchegante? Sua vida ia ser muito mais fácil – Ferrugem argumentou. – Existem muitas pessoas que ficariam com um gato como você. Basta ficar uns dias num lugar onde possam vê-lo, fazendo cara de fome...

– E elas vão me dar para comer bolinhas que parecem cocô de coelho e mingau mole! – Pata Cinzenta interrompeu. – Nem morto! Não consigo pensar em nada pior do que ser um *gatinho de gente*! Eles não passam de brinquedos dos Duas-Pernas! Comendo umas coisas que não parecem comida, defecando em uma caixa de areia, colocando o nariz na rua só quando os Duas-Pernas permitem? Isso não é vida! Aqui é selvagem, é a liberdade. Entramos e saímos na hora que dá na telha. – Terminou a fala com uma cusparada orgulhosa e miou com malícia. – Se nunca experimentou um camundongo fresquinho, você ainda não viveu. Já provou um camundongo?

– Não – Ferrugem admitiu, meio na defensiva. – Ainda não.

– Acho que nunca vai entender – Pata Cinzenta suspirou. “Você não nasceu selvagem, o que faz uma enorme diferença. É preciso nascer com sangue de guerreiro nas veias ou sentir o vento nos bigodes. Gatos que nascem nos ninhos dos Duas-Pernas não podem sentir a mesma coisa.

Ferrugem lembrou como se sentira no sonho. – Isso não é verdade! – miou, indignado.

Pata Cinzenta não contestou. De repente interrompeu uma lambida pelo meio e, com a pata ainda levantada, cheirou o ar. – Farejo gatos do meu clã – murmurou. – É melhor você ir. Eles não vão gostar de encontrá-lo caçando no nosso território!

Ferrugem olhou à volta, perguntando-se como Pata Cinzenta podia saber que um gato se aproximava. Ele não conseguia perceber nenhum cheiro diferente na brisa que recendia a folha. Mas seu pelo se arrepiou com o tom de urgência da voz de Pata Cinzenta.

– Depressa! – Pata Cinzenta voltou a sussurrar. – Corra!

Ferrugem se preparou para pular nos arbustos, sem saber para que lado era seguro se atirar.

Mas já era tarde demais. Ouviu às suas costas um miado firme e ameaçador. – O que está acontecendo aqui?

Ferrugem se voltou e viu uma grande gata cinzenta surgindo majestosamente da vegetação. Era magnífica. Fios brancos lhe saíam do focinho e uma feia cicatriz dividia o pelo dos ombros; mas a pelagem cinza e lisa brilhava como prata à luz da lua.

– Estrela Azul! – Ao lado de Ferrugem, Pata Cinzenta agachou e estreitou os olhos. Inclinou-se ainda mais quando um outro gato, dourado e malhado, entrou na clareira, logo atrás da gata.

– Você não deve ficar tão perto do Lugar dos Duas-Pernas, Pata Cinzenta! – grunhiu, zangado, o gato dourado, apertando os olhos verdes.

– Eu sei, Coração de Leão, me desculpe – disse Pata Cinzenta, abaixando os olhos na direção das patas.

Ferrugem fez como Pata Cinzenta e agachou no chão da floresta, crispando as orelhas nervosamente. Aqueles gatos tinham um quê de força que ele nunca tinha visto em nenhum de seus amigos do jardim. Talvez Borrão tivesse razão em adverti-lo.

– Quem é ele? – a gata perguntou.

Ferrugem se encolheu sob o olhar de Estrela Azul. Os olhos azuis penetrantes o fizeram sentir-se ainda mais vulnerável.

– Ele não é uma ameaça – Pata Cinzenta miou rapidamente. – Não é um guerreiro de outro clã, apenas um gato de estimação dos Duas-Pernas e vive fora dos nossos territórios.

Apenas um gato de estimação dos Duas-Pernas! As palavras encheram Ferrugem de raiva, mas ele segurou a língua. O olhar de advertência de Estrela Azul lhe disse que ela percebera a raiva nos olhos dele; Ferrugem disfarçou.

– Esta é Estrela Azul, a *líder* do meu clã. – Pata Cinzenta cochichou para Ferrugem. – Ele é Coração de Leão, meu mentor; é ele que está me treinando para ser um guerreiro.

– Obrigado pela apresentação, Pata Cinzenta – miou Coração de Leão com frieza.

Estrela Azul continuava a encarar Ferrugem. – Você luta bem para um gato de estimação dos Duas-Pernas – miou.

Ferrugem e Pata Cinzenta trocaram olhares confusos. Como ela sabia?

– Estivemos observando vocês dois. Queríamos saber como você lidaria com um invasor, Pata Cinzenta. Você o atacou com bravura.

Pata Cinzenta ficou agradecido pelo elogio da líder.

– Sentem os dois! – miou Estrela Azul. Em seguida, olhando para Ferrugem, acrescentou: – Você também, gatinho de gente. – Ferrugem sentou de imediato, enfrentando tranquilamente o olhar da gata.

– Você reagiu bem à investida, gatinho de gente. Pata Cinzenta é mais forte, mas você soube usar da inteligência para se defender. E o encarou quando ele o perseguiu. Nunca tinha visto um gatinho de gente fazer isso.

Ferrugem fez um gesto de agradecimento, surpreso por aquele elogio inesperado. As próximas palavras o deixaram ainda mais impressionado.

– Tentei imaginar como você se comportaria aqui, fora do lugar dos Duas-Pernas. Patrulhamos esta fronteira o tempo todo; vi você muitas vezes sentado na cerca, olhando para a floresta. E agora, finalmente, ousou colocar as patas aqui. – Estrela Azul fitou-o, pensativa. – Parece que você tem mesmo uma habilidade natural para caçar. Olhos agudos. Teria agarrado aquele camundongo se não tivesse hesitado tanto.

– M-mesmo? – Ferrugem gaguejou.

Coração de Leão se manifestou. Seu miado profundo era respeitoso, mas insistente. – Estrela Azul, isso é um *gatinho de gente*. Não devia estar caçando no território do Clã do Trovão. Mande-o embora, de volta para a casa dos Duas-Pernas!

Ferrugem arrepiou-se com as palavras de dispensa de Coração de Leão. – Me mandar para casa? – miou, impaciente. Ficara orgulhoso com as palavras de Estrela Azul. Ela o notara, tinha se impressionado com ele. – Mas só vim aqui para caçar um ou dois camundongos. Tenho certeza de que há bastante para todos.

Estrela Azul, que tinha virado a cabeça para ouvir Coração de Leão, voltou-se para Ferrugem. Os olhos azuis brilhavam com raiva. – Nunca há bastante para todos – disparou. – Se você não tivesse uma vida folgada, com comida à vontade, saberia disso!

Ferrugem ficou confuso com a súbita raiva de Estrela Azul, mas um único olhar para o rosto apavorado de Pata Cinzenta bastou-lhe para saber que falara demais. Coração de Leão colocou-se ao lado da líder. Os dois guerreiros pareciam maiores agora. Ao mirar o olhar ameaçador de Estrela Azul, Ferrugem viu seu orgulho desaparecer. Não estava lidando com gatos que se aconchegam em frente a lareiras – aqueles eram felinos maus e famintos, que provavelmente iriam terminar o que Pata Cinzenta tinha começado.

CAPÍTULO 2

– E ENTÃO? – SIBILOU Estrela Azul, com o rosto a um camundongo de distância do dele. Coração de Leão manteve silêncio, enquanto se agigantava diante de Ferrugem.

Ele abaixou as orelhas e encolheu-se sob o olhar frio do guerreiro dourado. Seus pelos se eriçavam de maneira incômoda. – Não sou ameaça para o seu clã – miou, com os olhos postos nas patas, que tremiam.

– Você ameaça nosso clã quando toma a nossa comida – uivou Estrela Azul. – Você tem muita comida no ninho dos Duas-Pernas. Vem aqui só para caçar por esporte. Mas nós caçamos para sobreviver.

A verdade contida nas palavras da rainha guerreira atingiu Ferrugem como um espinho e, de repente, ele compreendeu a raiva que Estrela Azul sentia. Parou de tremer, sentou, empinou as orelhas e, buscando os olhos da gata com os seus, disse: – Ainda não tinha pensado no assunto dessa maneira. Sinto muito – miou, respeitoso. – Não vou mais caçar aqui.

Estrela Azul desarmou os pelos e fez um sinal para Coração de Leão se afastar. – Você não é como os outros gatinhos de gente, Ferrugem – miou.

O suspiro de alívio de Pata Cinzenta fez as orelhas de Ferrugem se contraírem. Ele sentiu a aprovação na voz de Estrela Azul e percebeu que a gata trocara um olhar significativo com Coração de Leão. Aquele olhar o deixou curioso. O que passava pela mente dos dois guerreiros? Calmo, perguntou: – A sobrevivência aqui é mesmo tão difícil?

– Nosso território cobre apenas parte da floresta – respondeu Estrela Azul. – Competimos com outros clãs pelo que temos. E, este ano, com o atraso da estação do renovo, haverá escassez de presas.

– É grande o seu clã? – Ferrugem miou, olhos arregalados.

– Grande o suficiente – respondeu Estrela Azul. – Nosso território pode nos sustentar, mas não há sobra de presas.

– Então vocês todos são guerreiros? – miou Ferrugem. As respostas cautelosas de Estrela Azul o deixavam cada vez mais curioso.

Foi Coração de Leão que respondeu: – Alguns são guerreiros. Alguns são jovens demais para isso, outros velhos demais, e outras ainda são ocupadas demais para caçar, pois cuidam dos filhotes.

– E vocês todos vivem juntos e dividem as presas? – Ferrugem murmurou, assombrado, sentindo-se um pouco culpado pela vida fácil e egoísta que levava.

Estrela Azul voltou a fitar Coração de Leão. O gato dourado devolveu o olhar com firmeza. Por fim, ela mirou Ferrugem novamente e miou: – Talvez você possa descobrir essas coisas por si mesmo. O que acha de se juntar ao Clã do Trovão?

Ferrugem ficou tão surpreso que não conseguia falar.

Estrela Azul continuou: – Se você vier, vai treinar com Pata Cinzenta para se tornar um guerreiro do clã.

– Mas gatinhos de gente não podem ser guerreiros! – Pata Cinzenta deixou escapar. – Eles não têm sangue de guerreiro!

A tristeza nublou os olhos de Estrela Azul. – Sangue de guerreiro – ela repetiu com um suspiro. – Muito sangue já foi derramado ultimamente.

A gata fez silêncio e Coração de Leão miou: – Estrela Azul está apenas oferecendo treinamento a você, jovem gato. Não há garantia de se tornar realmente um guerreiro. Pode acabar sendo difícil demais para você. Afinal, está acostumado a uma vida confortável.

Ferrugem sentiu-se atingido pelas palavras de Coração de Leão. Girou a cabeça para olhar de frente o gato dourado. – Então, por que me oferecer a oportunidade?

Mas foi Estrela Azul que respondeu. – Você está certo em questionar nossos motivos, meu jovem. A verdade é que o Clã do Trovão precisa de mais guerreiros.

– Entenda que Estrela Azul não faz essa oferta de maneira leviana – advertiu Coração de Leão. – Se quiser fazer o treinamento conosco, teremos de levá-lo para o nosso clã. Ou você vive conosco e respeita nossos costumes ou terá de voltar para o lugar dos Duas-Pernas e jamais retornar. Não dá para viver com uma pata em cada mundo.

Uma brisa fresca movimentou a vegetação, encrespando os pelos de Ferrugem. Ele tremeu, não por causa do frio, mas pela empolgação ante as incríveis possibilidades que se abriam diante dele.

– Você está pensando se vale a pena abrir mão de sua vida confortável de gatinho de gente? – perguntou, delicada, Estrela Azul. – Mas percebe o preço que vai pagar pelo calor e pela comida?

Ferrugem olhou para ela, intrigado. Certamente o encontro com esses felinos lhe provara como sua vida era fácil e cheia de luxo.

– Posso garantir que você ainda é um macho – acrescentou Estrela Azul –, apesar do fedor dos Duas-Pernas que vem do seu pelo.

– O que você quer dizer com *ainda* é um macho?

– Você ainda não foi levado pelos Duas-Pernas para o Corta-Gato – miou, séria, Estrela Azul. – Se isso tivesse acontecido, você seria bem diferente. Não teria ficado tão ansioso para lutar com um gato de clã!

Ferrugem ficou confuso. De repente, pensou em Henry, que se tornara gordo e preguiçoso desde a visita ao veterinário. Seria ao médico que Estrela Azul tinha se referido como o Corta-Gato?

– O clã pode não ser capaz de lhe oferecer calor e comida fácil – continuou Estrela Azul. – Na estação sem folhas, as noites na floresta podem ser cruéis. O clã vai exigir grande lealdade e trabalho duro. Você deverá protegê-lo com a própria vida, se necessário, e há muitas bocas para alimentar.

Mas as recompensas são grandes. Você vai continuar sendo macho. Será treinado à maneira da floresta. Vai aprender o que é ser um gato de verdade. A força e a camaradagem do clã vão sempre acompanhá-lo, mesmo que você cace sozinho.

A cabeça de Ferrugem girava. Estrela Azul parecia estar lhe oferecendo a vida tentadora que ele tantas vezes vivera em seus sonhos; mas será que poderia viver aquilo de verdade?

Coração de Leão interrompeu-lhe os pensamentos. – Venha, Estrela Azul, não vamos perder mais tempo aqui. Precisamos nos aprontar para acompanhar a outra patrulha na lua alta. Garra de Tigre deve estar se perguntando o que aconteceu conosco. – Levantou-se e balançou a cauda, aguardando.

– Espere – miou Ferrugem. – Posso pensar sobre a oferta?

Estrela Azul olhou-o longamente e concordou. – Coração de Leão vai estar aqui amanhã no sol alto – disse. – Dê, então, a resposta.

A gata fez um pequeno gesto e, em um único movimento, os três gatos se viraram e desapareceram na vegetação.

Ferrugem piscou. Voltou o olhar – empolgado, cheio de dúvidas – para além das samambaias que o circundavam, através da cobertura de folhas, até as estrelas que brilhavam no céu claro. O cheiro dos gatos do clã ainda pesava no ar da noitinha. Quando virou-se e rumou para casa, Ferrugem teve a estranha sensação de que algo o puxava de volta para as profundezas da floresta. Seu pelo se eriçou deliciosamente na brisa; as folhas farfalhando pareciam murmurar seu nome nas sombras.

CAPÍTULO 3

NAQUELA MANHÃ, ao passear em sonhos novamente, Ferrugem voltou a ver o camundongo, ainda mais vívido do que antes. Livre da coleira, sob a lua, ele perseguia a tímida criatura. Mas, dessa vez, sabia que estava sendo observado. Brilhando no meio das sombras da floresta, via dezenas de olhos amarelos. Os gatos do clã tinham entrado no mundo dos seus sonhos.

Ferrugem acordou, piscando sob o sol brilhante que banhava o chão da cozinha. Por causa do calor, seu pelo parecia pesado e espesso. Uma das tigelas estava cheia de comida; a outra tinha sido lavada e continha um líquido amargo. Água dos Duas-Pernas. Ferrugem preferia beber das poças da rua, mas quando estava quente ou ele sentia muita sede, tinha de admitir que era mais fácil beber a água de casa. Será que conseguiria abandonar essa vida confortável?

Comeu e atravessou a portinhola que dava no jardim. O dia prometia ser quente, e o aroma dos primeiros botões se espalhava pelo jardim.

– Olá, Ferrugem – um gato miou da cerca. Era Borrão. – Você devia ter acordado uma hora atrás. Os filhotes de pardal estavam aqui fora, alongando as asas.

– Você pegou algum? – Ferrugem perguntou.

Borrão bocejou e lambeu o nariz. – Não quis me dar ao trabalho. Já comi bastante em casa. Por que demorou a sair? Ontem estava se queixando que Henry perde tempo dormindo e hoje você fez igualzinho a ele.

Ferrugem sentou na terra fresca ao lado da cerca e enrolou a cauda caprichosamente sobre as patas dianteiras. – Na noite passada estive na floresta – lembrou ao amigo. Imediatamente, sentiu o sangue ferver nas veias e o pelo se eriçar.

Do alto da cerca, Borrão arregalou os olhos. – Claro, tinha me esquecido! Como foi? Pegou alguma coisa? Ou alguma coisa pegou você?

Ferrugem fez uma pausa, sem saber direito como contar ao velho companheiro o que tinha acontecido. – Conheci alguns gatos selvagens – começou.

– O quê? – Borrão estava claramente perturbado. – Você se meteu numa briga?

– Mais ou menos. – Ferrugem sentiu o corpo vibrar, ao se lembrar da força e do poder dos gatos do clã.

– Você foi ferido? O que aconteceu? – Borrão perguntou, ansioso.

– Eles eram três. Maiores e mais fortes do que qualquer um de nós.

– Você lutou com os três!? – Borrão interrompeu, balançando a cauda de tanta empolgação.

– Não! – Ferrugem miou depressa. – Só com o mais novo; os outros dois apareceram depois.

– E não fizeram picadinho de você?

– Só me advertiram para sair do território deles. Mas então... – Ferrugem hesitou.

– O quê? – Borrão miou com impaciência.

– Me convidaram para fazer parte do clã.

Os bigodes de Borrão tremeram, num gesto de descrença.

– Convidaram, sim! – Ferrugem insistiu.

– Por que fariam isso?

– Não sei – Ferrugem admitiu. – Acho que precisam de patas extras no clã.

– Acho meio esquisito – Borrão duvidou. – Se eu fosse você, não acreditaria neles.

Ferrugem olhou para Borrão. Seu amigo preto e branco nunca mostrara nenhum interesse em se aventurar na floresta. Estava bem contente vivendo numa casa, com humanos. Jamais entenderia os desejos inquietantes que os sonhos de Ferrugem nele provocavam, noite após noite.

– Mas confio neles – Ferrugem ronronou gentilmente. – E já me decidi. Vou me juntar ao clã.

Borrão desceu correndo da cerca e se colocou na frente do amigo. – Por favor, não vá, Ferrugem – miou, assustado. – Pode ser que nunca mais veja você de novo.

Ferrugem afagou-o afetuosamente com a cabeça. – Não se preocupe. O pessoal da minha casa vai arrumar outro gato e você vai se dar bem com ele. Você se dá bem com todo o mundo!

– Mas não vai ser a mesma coisa – Borrão lamentou.

Ferrugem balançou a cauda, impaciente. – Esse é o problema. Se eu ficar por aqui, eles vão me levar ao Corta-Gato e eu também não vou ser mais o mesmo.

Borrão se mostrou confuso. – O Corta-Gato? – repetiu.

– O veterinário – Ferrugem explicou. – Para ser modificado, como Henry foi.

Borrão deu de ombros e abaixou os olhos na direção das patas. – Mas Henry está bem – murmurou. – Quer dizer, está um pouco mais preguiçoso agora, mas não está infeliz. Ainda podemos nos divertir.

Ferrugem ficou com o coração cheio de tristeza ao pensar em deixar o amigo. – Sinto muito, Borrão. Vou sentir sua falta, mas tenho de ir.

Borrão não respondeu. Deu um passo à frente e, com delicadeza, roçou o nariz de Ferrugem com o seu. – Está bem. Sei que não posso impedi-lo, mas, ao menos, vamos passar mais uma manhã juntos.

Ferrugem aproveitou aquela manhã ainda mais do que de costume, visitando antigos refúgios com Borrão, conversando com os gatos com que crescera. Seus sentidos estavam todos aguçados, como se ele estivesse se preparando para dar um grande salto. Quando o sol estava quase a pino, Ferrugem já mal podia esperar para ver se Coração de Leão estaria mesmo aguardando por ele. O zumbido preguiçoso do miado de seus velhos amigos parecia ficar cada vez mais ao longe, à medida que todos os seus sentidos o puxavam para a floresta.

Ferrugem pulou da cerca do jardim pela última vez e entrou furtivamente na floresta. Tinha se despedido de Borrão e agora todos os seus pensamentos estavam concentrados na floresta e nos gatos que nela moravam.

Ao se aproximar do lugar onde se encontrara com os gatos do clã na véspera, sentou e saboreou o ar. Árvores altas protegiam o chão do sol do meio-dia, deixando-o agradavelmente fresco. Aqui e ali o sol brilhava através de uma fresta nas folhas, iluminando a superfície da floresta. Ferrugem sentiu o mesmo cheiro de gato da noite anterior, mas não tinha ideia se era um cheiro novo ou antigo. Levantou a cabeça e farejou, sem muita certeza.

– Você tem muito a aprender – miou uma voz grave. – Até o menor filhote do clã sabe quando outro gato está por perto.

Ferrugem viu um par de olhos verdes brilhando debaixo de uma amoreira. Agora reconhecia o cheiro: era Coração de Leão.

– Você sabe dizer se estou sozinho? – perguntou o gato dourado, colocando-se na luz.

Ferrugem imediatamente se pôs a farejar de novo. Os odores de Estrela Azul e de Pata Cinzenta ainda estavam ali, mas não tão fortes como na véspera. Hesitante, miou: – Estrela Azul e Pata Cinzenta desta vez não estão com você.

– Está certo – miou Coração de Leão. – Mas tenho outra companhia.

Ferrugem paralisou-se quando um segundo gato do clã entrou na clareira.

– É Nevasca – ronronou Coração de Leão. – Um dos guerreiros antigos do Clã do Trovão.

Ferrugem olhou para o gato e sentiu a espinha formigar de medo. Seria uma armadilha? De corpo comprido e robusto, Nevasca parou diante de Ferrugem e fitou-o de cima. A pelagem branca era espessa e imaculada, e os olhos eram amarelos como areia queimada de sol. Ferrugem, prudente, abaixou as orelhas e tensionou os músculos, preparando-se para lutar.

– Relaxe antes que o seu cheiro de medo atraia alguma atenção indesejável – grunhiu Coração de Leão. – Estamos aqui apenas para levá-lo ao nosso acampamento.

Ferrugem sentou bem quietinho, mal ousando respirar, enquanto Nevasca espichava o nariz para farejá-lo, curioso.

– Olá, meu jovem – miou o gato branco. – Já me falaram muito de você.

Ferrugem abaixou a cabeça, cumprimentando-o.

– Venha, poderemos conversar mais quando estivermos no acampamento – ordenou Coração de Leão que, ato contínuo, pulou com Nevasca rumo à vegetação. Ferrugem pulou também, seguindo-os tão depressa quanto pôde.

Sem esperar por Ferrugem, os dois guerreiros dispararam pela floresta e ele logo se viu com dificuldade para acompanhá-los. Não retardaram a marcha nem mesmo ao conduzi-lo por cima das árvores caídas, que saltaram com um simples pulo, enquanto ele teve de escalá-las pata por pata. Passaram no meio de pinheiros de aroma penetrante, onde tiveram de pular valas profundas abertas pelo comedor de árvores dos Duas-Pernas. Sentado em segurança na cerca do jardim, Ferrugem o ouvira muitas vezes, urrando e roncando a distância. Uma das valas, larga demais para saltar, com água lodosa e fétida, estava cheia até a metade. Os gatos do clã mergulharam e passaram por ela sem titubear.

Ferrugem, até então, jamais pusera uma pata na água. Mas estava decidido a não mostrar nenhum sinal de fraqueza; por isso estreitou os olhos e seguiu adiante, tentando ignorar a umidade incômoda que lhe ensopava o pelo da barriga.

Finalmente, Coração de Leão e Nevasca pararam. Ferrugem estacou bruscamente atrás deles e ali ficou, arfando, enquanto os guerreiros subiam numa pedra à beira de uma pequena ravina.

– Estamos bem perto do nosso acampamento agora – miou Coração de Leão.

Ferrugem se esforçou para ver algum sinal de vida – folhas se mexendo, um vislumbre de pelo entre os arbustos abaixo –, mas só conseguiu avistar a mesma vegetação que cobria o resto do chão da floresta.

– Use o nariz. Não é possível que você não esteja sentindo o cheiro – sibilou Nevasca, impaciente.

Ferrugem fechou os olhos e farejou. Nevasca estava certo. Os aromas eram muito diferentes do cheiro de gato a que estava acostumado. O odor era mais pesado, indicando muitos, muitos gatos diferentes.

Balançou a cabeça, pensativo, e anunciou. – Sinto cheiro de gatos.

Coração de Leão e Nevasca trocaram olhares divertidos.

– Vai chegar uma hora, caso se integre ao clã, em que vai conhecer cada cheiro de gato pelo nome – Coração de Leão miou. – Siga-me! – Ágil, colocou-se à frente dos demais e desceu pelas pedras para o fundo da ravina, abrindo caminho entre os tojos. Ferrugem seguiu atrás dele, com Nevasca na retaguarda. Ao atravessar os tojos pontiagudos, que lhe arranhavam os flancos, Ferrugem olhou para baixo e notou que a grama sob suas patas estava achatada, formando uma trilha larga e de cheiro forte. Deve ser a entrada principal do acampamento, pensou.

Além dos tojos, abria-se uma clareira. No meio, o chão era duro e sem vegetação, marcado por muitas gerações de solas de patas. Fazia muito tempo que o acampamento existia. A luz do sol inundava a clareira, e o ar era quente e parado.

Ferrugem observou ao redor, de olhos esbugalhados. Havia gatos por toda parte, sentados sozinhos ou em grupo, dividindo comida ou ronronando calmamente enquanto penteavam uns aos outros.

– Logo depois do sol alto, quando o dia está mais quente, é hora de trocar lambidas – Coração de Leão explicou.

– Trocar lambidas? – Ferrugem repetiu.

– Os gatos dos clãs sempre passam um tempo penteando uns aos outros e conversando sobre as novidades do dia – disse Nevasca. – Chamamos esse hábito de "trocar lambidas". É um costume que une os membros do clã.

Era evidente que os felinos tinham sentido o odor forasteiro de Ferrugem, pois as cabeças começaram a voltar-se, curiosas, na sua direção.

Com repentina vergonha de encarar diretamente qualquer um dos gatos, Ferrugem olhou à volta da clareira. Era rodeada de grama espessa, pontilhada com tocos de árvores e uma árvore caída. Uma grossa cortina de samambaias e tojos protegia o acampamento do resto da floresta.

– Ali – miou Coração de Leão, agitando a cauda na direção de um emaranhado de amoreiras, que parecia impenetrável – é o berçário, onde se cuida dos filhotes.

Ferrugem girou as orelhas na direção dos arbustos. Não conseguia enxergar através do nó de galhos pontudos, mas ouviu o miado de diversos filhotes que vinha lá de dentro. Enquanto observava, uma gata avermelhada surgiu contorcendo-se por uma pequena fenda. *Esta deve ser uma das rainhas*, Ferrugem pensou.

Uma rainha malhada, com manchas negras bem definidas, apareceu perto da amoreira. As duas gatas trocaram uma lambida amigável entre as orelhas antes que a malhada entrasse no berçário, falando baixinho com os filhotes chorões.

– Todas as rainhas ajudam a cuidar dos filhotes – miou Coração de Leão. – Todos os gatos servem ao clã. A lealdade ao clã é a primeira lei do nosso Código dos Guerreiros, uma lição que você precisa logo aprender se quiser ficar conosco.

– Aí vem Estrela Azul – miou Nevasca, farejando o ar.

Ferrugem também farejou o ar e ficou satisfeito ao perceber que fora capaz de reconhecer o cheiro da gata cinzenta um instante antes de ela sair da sombra de uma grande rocha ao lado deles, na entrada da clareira.

– Ele veio – Estrela Azul ronronou, dirigindo-se aos guerreiros.

Nevasca replicou: – Coração de Leão tinha certeza de que não viria.

Ferrugem notou que a ponta da cauda de Estrela Azul estremecia com impaciência.

– E então? O que acham dele? – a gata perguntou.

– Aguentou bem a viagem de volta, apesar de ser um gato pequeno – Nevasca admitiu. – Parece forte para um gatinho de gente.

– Então está aceito? – Estrela Azul perguntou, dirigindo-se a Coração de Leão e a Nevasca.

Os gatos aprovaram com a cabeça.

– Sendo assim, vou anunciar ao clã sua chegada – disse Estrela Azul, pulando para a pedra e uivando. – Que todos os gatos com idade suficiente para caçar a própria presa compareçam a uma reunião do clã, aqui sob a Pedra Grande.

Ao ouvirem o chamado alto e claro, todos os gatos se dirigiram até Estrela Azul, como sombras líquidas surgidas das laterais da clareira. Ferrugem ficou onde estava, entre Coração de Leão e Nevasca. Os outros felinos se instalaram sob a Pedra Grande, olhando curiosos para a líder.

Ferrugem sentiu um certo alívio ao reconhecer o pelo farto e cinza de Pata Cinzenta entre os gatos. Ao lado dele estava uma jovem rainha atartarugada, com a cauda de ponta negra jeitosamente pousada sobre as pequenas patas brancas. Um gato grande, de pelo cinza malhado, agachou atrás deles; as listas pretas de seu pelo pareciam sombras num chão de floresta banhado pela lua.

Quando os gatos ficaram quietos, Estrela Azul falou: – O Clã do Trovão precisa de mais guerreiros. Nunca antes tivemos tão poucos aprendizes em treinamento como agora. Foi decidido que o Clã do Trovão vai admitir alguém de fora para ser treinado como guerreiro...

Ferrugem ouviu murmúrios indignados surgirem em meio ao clã, mas Estrela Azul silenciou-os com um uivo firme. – Encontrei um gato que deseja se tornar aprendiz do Clã do Trovão.

– *Sorte dele* tornar-se um aprendiz – guinchou uma voz alta acima da onda de espanto que se espalhou entre os gatos.

Ferrugem ergueu o pescoço e viu um gato malhado e desbotado que se levantara e encarava a líder de maneira desafiadora.

Estrela Azul o ignorou e se dirigiu a todo o clã: – Coração de Leão e Nevasca conheceram esse jovem gato e concordam comigo que devemos treiná-lo junto com os demais aprendizes.

Ferrugem olhou para Coração de Leão e, mais uma vez, fitou os gatos do clã, encontrando todos os olhos grudados nele. Seu pelo se crispou e ele, nervoso, engoliu em seco. Por um instante se fez silêncio. Ferrugem não teve dúvidas de que todos podiam ouvir seu coração pulsar e perceber seu cheiro de medo.

Uivos ensurdecedores começaram então a brotar da multidão.

– De onde ele vem?

– A que clã pertence?

– Ele tem um cheiro esquisito! Não é o cheiro de nenhum clã que eu conheça!

Um guincho em especial se sobressaiu: – Vejam a coleira dele! É um gatinho de gente. – Era de novo o gato desbotado. – Uma vez gatinho de gente, sempre gatinho de gente. Este clã precisa de guerreiros nascidos na floresta para defendê-lo, e não de outra boca delicada para alimentar.

Coração de Leão se inclinou e cochichou na orelha de Ferrugem: – Esse gato se chama Rabo Longo. Ele está percebendo o seu cheiro de medo. Aliás, todos estão. Você precisa provar a ele e aos demais que o medo não vai impedi-lo de lutar.

Mas Ferrugem não conseguia se mexer. Como iria provar àqueles gatos ferozes que não era apenas um gatinho de gente?

Rabo Longo continuou a zombar dele: – Sua coleira é uma marca dos Duas-Pernas, e esse guizo barulhento vai fazer de você, na melhor das hipóteses, um caçador de araque. Na pior, vai atrair os Duas-Pernas para o nosso território, à procura do pobre gatinho de gente perdido na floresta, com sua campainha de dar dó.

Todos os gatos gritaram, concordando.

Rabo Longo continuou, sabendo que contava com o apoio da plateia: – O barulho do seu sino delator vai alertar nossos inimigos, ainda que o *fedor* dos Duas-Pernas não os atraia!

Coração de Leão voltou a cochichar na orelha de Ferrugem: – Você vai fugir de um desafio?

Ferrugem continuava imóvel. Mas, agora, tentava localizar Rabo Longo. Lá estava ele, bem atrás de uma rainha marrom-escura. Ferrugem abaixou as orelhas e estreitou os olhos. Então, sibilando, pulou através dos gatos, que ficaram surpresos ao vê-lo lançar-se sobre o agitador.

Rabo Longo estava completamente despreparado para o ataque de Ferrugem. Cambaleou para um lado, sem conseguir se firmar na terra ressequida. Cheio de raiva e ansioso por provar seu valor, Ferrugem enfiou as garras com vontade no pelo de Rabo Longo e cravou-lhe os dentes. Nenhum ritual sutil de miados e golpes de patas antecedeu o combate. Os dois gatos, aos gritos, se engalfinharam numa luta de saltos mortais pela clareira, no centro do acampamento. Os outros felinos precisaram dar espaço para evitar o estridente redemoinho de pelos.

À medida que arranhava e lutava, Ferrugem percebeu que não sentia medo, mas prazer. No meio do sangue que fazia ruído em suas orelhas, ouvia os gatos ao redor gritando de empolgação.

Foi quando sentiu a coleira apertar-lhe o pescoço. Rabo Longo a encaixara entre os dentes e puxava, cada vez com mais força. Ferrugem sentiu uma pressão terrível no pescoço. Sem conseguir respirar, apavorou-se. Virou-se e contorceu-se, mas, a cada movimento, a pressão piorava. Com ânsia de vômito e sufocando, reuniu todas as forças e tentou escapar das garras de Rabo Longo. De repente, com um forte estalo, ele se viu livre.

Rabo Longo caiu longe. Ferrugem se levantou e olhou à volta. Rabo Longo estava agachado a três caudas de distância, com a coleira de Ferrugem pendurada na boca, destroçada.

Imediatamente Estrela Azul desceu da Pedra Grande e silenciou a multidão com um miado tonitruante. Ferrugem e Rabo Longo continuaram onde estavam, tentando recuperar o fôlego. Tufos de pelo pendiam de sua pelagem eriçada. Ferrugem sentiu um corte latejando sobre o olho. A orelha esquerda de Rabo Longo estava bem machucada, e pingava sangue de seus ombros magros no chão empoeirado. Um encarava o outro; a hostilidade não tinha acabado.

Estrela Azul adiantou-se e tomou a coleira de Rabo Longo. Colocou-a no chão à sua frente e miou: – O recém-chegado perdeu sua coleira dos Duas-Pernas numa batalha por sua honra. O Clã das Estrelas deu sua aprovação: este gato foi liberto do jugo de seus donos Duas-Pernas e está livre para se juntar ao Clã do Trovão como aprendiz.

Ferrugem olhou para Estrela Azul e, com um gesto solene de cabeça, aquiesceu. Levantou-se e colocou-se sob um raio de sol, recebendo de bom grado o calor nos músculos feridos. A poça de luz fez brilhar seu pelo alaranjado. Orgulhoso, Ferrugem ergueu a cabeça e olhou para os gatos ao redor. Dessa vez, nenhum deles reclamou ou zombou. Ele provara ser um oponente valoroso numa luta.

Estrela Azul aproximou-se de Ferrugem e colocou na frente dele a coleira destroçada. Em seguida, tocou-lhe ternamente a orelha com o nariz e disse:

– Você parece uma tocha de fogo à luz do sol – a gata murmurou, com um certo brilho no olhar, como se suas palavras tivessem um significado maior do que Ferrugem podia compreender. – Você lutou bem. – Ela se voltou para o clã e anunciou: – A partir de hoje, até receber seu nome de guerreiro, este aprendiz vai se chamar Pata de Fogo, por causa da cor de sua pelagem.

Estrela Azul recuou e, com os outros gatos, esperou pelo próximo movimento. Sem hesitar, Ferrugem virou-se e chutou poeira e grama sobre a coleira, como se estivesse enterrando suas fezes.

Rabo Longo rosnou e, mancando, saiu da clareira em direção a um canto onde as samambaias faziam sombra. Os felinos se dividiram em grupos, conversando, empolgados.

– Ei, Pata de Fogo!

Ferrugem ouviu a voz amigável de Pata Cinzenta atrás de si. *Pata de Fogo!* Um arrepio de orgulho percorreu seu corpo ao ouvir o novo nome. Virou-se para cumprimentar o aprendiz cinza com um farejo de boas-vindas.

– Grande luta, Pata de Fogo! – miou Pata Cinzenta. – Especialmente para um gatinho de gente! Rabo Longo é um guerreiro, embora tenha terminado o treinamento há apenas duas luas. A cicatriz que você lhe fez na orelha não vai deixá-lo esquecer você tão cedo. Você estragou aquela cara bonita, pode apostar.

– Obrigado, Pata Cinzenta – respondeu Pata de Fogo. – Mas ele é bom de briga! – Lambeu a pata da frente e começou a limpar a profunda cicatriz que latejava sobre o olho. Enquanto se lavava, ouviu novamente seu novo nome ecoando entre os miados dos gatos.

– Pata de Fogo!

– Ei, Pata de Fogo!

– Bem-vindo, jovem Pata de Fogo!

Pata de Fogo fechou os olhos por um instante e deixou-se inundar pelas vozes.

– O nome também é bom! – miou Pata Cinzenta em tom de aprovação, despertando-o do torpor.

Pata de Fogo olhou em torno. – Para onde foi Rabo Longo?

– Acho que foi à toca de Folha Manchada – disse Pata Cinzenta, apontando com a cabeça na direção do canto das samambaias, onde Rabo Longo tinha desaparecido. – É nossa curandeira. É bem atraente. Mais jovem e muito mais bonita que a maioria...

Um uivo baixo e próximo interrompeu Pata Cinzenta. Eles se viraram e Pata de Fogo reconheceu o robusto gato cinza que, pouco antes, estava sentado atrás de Pata Cinzenta.

– Risca de Carvão – miou Pata Cinzenta, abaixando a cabeça, respeitoso.

O gato lustroso olhou para Pata de Fogo por um momento. – Sorte a sua coleira ter arrebentado na hora certa. Rabo Longo é um guerreiro jovem, mas não consigo imaginá-lo derrotado por um gatinho de gente! – Fez questão de ser sarcástico ao dizer *gatinho de gente*; virou-se e foi embora.

– Por sua vez, Risca de Carvão – Pata Cinzenta cochichou para Pata de Fogo – não é jovem nem bonito...

Pata de Fogo ia concordar com o novo amigo quando foi detido pelo grito de alerta de um gato idoso sentado na orla da clareira.

– Orelhinha pressente problemas! – Pata Cinzenta miou, imediatamente atento.

Pata de Fogo mal teve tempo de olhar ao redor antes que um jovem gato atravessasse os arbustos e caísse no acampamento. Era magro e, fora a ponta branca da cauda fina e comprida, negro retinto da cabeça aos pés.

Pata Cinzenta engasgou. – É Pata Negra! Por que está sozinho? Onde está Garra de Tigre?

Pata de Fogo olhou para Pata Negra, que cambaleava pela clareira, respirando com dificuldade. A pelagem estava eriçada e suja; os olhos, arregalados de medo.

– Quem são Pata Negra e Garra de Tigre? – Pata de Fogo sussurrou para Pata Cinzenta, enquanto vários outros felinos passavam correndo por ele para saudar o recém-chegado.

– Pata Negra é um aprendiz. Garra de Tigre, seu mentor – Pata Cinzenta explicou rapidamente. – Pata Negra saiu ao nascer do sol com Garra de Tigre e Rabo Vermelho em uma missão contra o Clã do Rio, aquela bolinha de pelo sortuda!

– Rabo Vermelho? – Pata de Fogo repetiu, totalmente confuso com todos aqueles nomes.

– O representante de Estrela Azul – Pata Cinzenta explicou baixinho. "Mas por que diabos Pata Negra voltou sozinho?", perguntou-se. Pata Cinzenta levantou a cabeça para escutar Estrela Azul, que dera um passo à frente.

– Pata Negra? – a gata chamou calmamente, mas com uma sombra de preocupação nos olhos azuis. Os outros gatos se afastaram, torcendo os lábios, ansiosos.

– O que aconteceu? – Estrela Azul pulou para a Pedra Grande e, de cima, olhou o gato que tremia. – Fale, Pata Negra!

Pata Negra, ainda tentando respirar, ergueu-se com dificuldade, deixando o pó da clareira vermelho de sangue; mesmo assim, conseguiu chegar à Pedra Grande e colocar-se ao lado de Estrela Azul. O gato virou-se para a multidão de rostos aflitos que o circundava e reuniu fôlego para declarar: – Rabo Vermelho está morto!

CAPÍTULO 4

GRITOS DE ESPANTO se elevaram entre os gatos do clã e ecoaram pela floresta.

Pata Negra titubeou um pouco. A pata dianteira direita reluzia, molhada do sangue que escorria do corte profundo no ombro. – Enc-encontramos os guerreiros do Clã do Rio ao lado do riacho, não muito longe das Rochas Ensoladas – continuou, tremendo. – Coração de Carvalho estava entre eles.

– Coração de Carvalho! – miou, arfante, Pata Cinzenta, ao lado de Pata de Fogo. – É o representante do Clã do Rio, um dos maiores guerreiros da floresta. Sorte de Pata Negra! Quem me dera fosse eu. Eu teria... – Pata Cinzenta foi silenciado por um olhar feroz do velho gato cinza, o primeiro a perceber a chegada de Pata Negra.

Pata de Fogo voltou a prestar atenção em Pata Negra.

– Rabo Vermelho advertiu Coração de Carvalho para manter seu grupo de caçadores fora do território do Clã do Trovão. Disse que o próximo guerreiro do Clã do Rio apanhado no território do Clã do Trovão seria morto, mas Coração... Coração de Carvalho não recuou. Disse que seu... seu clã precisava ser alimentado e que nossas ameaças eram inúteis. – Pata Negra fez uma pausa para respirar. A ferida ainda sangrava abundantemente e ele tentava, sem muito jeito, não fazer peso no ombro.

– Então os gatos do Clã do Rio atacaram. Foi difícil ver o que estava acontecendo. A luta foi selvagem. Vi que Coração de Carvalho imobilizou Rabo Vermelho no chão, mas aí Rabo Vermelho... – De repente, os olhos de Pata Negra reviraram e ele cambaleou. Meio se arrastando, meio caindo, escorregou da Pedra Grande e apagou no chão da clareira.

Uma rainha alaranjada se aproximou e agachou a seu lado. Passou-lhe rapidamente a língua na bochecha e gritou:
– Folha Manchada!

Do canto sombreado pelas samambaias saiu a bonita gata atartarugada que Pata de Fogo tinha visto mais cedo, sentada ao lado de Pata Cinzenta. Ela correu para Pata Negra e miou para a rainha se afastar. Com o pequeno nariz cor-de-rosa virou o corpo do aprendiz para examinar a ferida. A curandeira olhou para cima e miou: – Está tudo certo, Flor Dourada, as lesões não são fatais. Mas vou precisar pegar algumas teias de aranha para estancar o sangramento.

Assim que Folha Manchada voltou correndo para a toca, o profundo silêncio na clareira foi interrompido por um gemido melancólico. Todos os olhos se viraram na direção de onde viera.

Um enorme gato malhado marrom-escuro cambaleava pelo túnel de tojo. Entre os dentes afiados, o guerreiro trazia não uma presa, mas o corpo sem vida de outro felino. Levou a criatura em frangalhos até o centro da clareira.

Pata de Fogo levantou o pescoço e vislumbrou uma brilhante cauda avermelhada sendo arrastada na poeira.

Uma onda de choque percorreu o clã como brisa gelada. Ao lado de Pata de Fogo, Pata Cinzenta agachou, cheio de tristeza. – Rabo Vermelho!

– Como isso aconteceu, Garra de Tigre? – perguntou Estrela Azul do alto da Pedra Grande.

Garra de Tigre soltou o corpo de Rabo Vermelho, que segurava pelo cangote. Devolveu com firmeza o olhar de Estrela Azul. – Ele morreu com honra, liquidado por Coração de Carvalho. Não pude salvá-lo, mas consegui tirar a vida de Coração de Carvalho enquanto ele ainda cantava vitória. – A voz de Garra de Tigre era forte e grave. – A morte de Rabo Vermelho não foi em vão; duvido que voltemos a ver caçadores do Clã do Rio no nosso território.

Pata de Fogo olhou para Pata Cinzenta. Os olhos do aprendiz estavam escuros de tristeza.

Depois de uma pequena pausa, diversos felinos se aproximaram para lamber o pelo enlameado de Rabo Vermelho. Eles o acariciavam e ronronavam palavras delicadas para o guerreiro morto.

Pata de Fogo cochichou na orelha de Pata Cinzenta: – O que estão fazendo?

Pata Cinzenta respondeu sem desviar o olhar do gato morto: – O espírito dele pode ter partido para se juntar ao

Clã das Estrelas, mas o clã vai homenagear Rabo Vermelho com lambidas uma última vez.

– Clã das Estrelas? – Pata de Fogo repetiu.

– É a tribo de guerreiros celestes que cuida de todos os gatos do clã. Você pode vê-los no Tule de Prata.

Vendo que Pata de Fogo estava confuso, Pata Cinzenta explicou. – Tule de Prata é aquela espessa faixa de estrelas que você vê todas as noites estendida no céu. Cada estrela é um guerreiro do Clã das Estrelas. Rabo Vermelho estará entre eles esta noite.

Pata de Fogo fez um gesto com a cabeça e Pata Cinzenta se adiantou para homenagear com lambidas o representante morto.

Estrela Azul, que permanecera em silêncio enquanto os primeiros felinos se aproximavam para reverenciar Rabo Vermelho, desceu da Pedra Grande e dirigiu-se lentamente ao corpo do guerreiro morto. Os outros gatos se afastaram e observaram a líder agachar para lamber o velho camarada uma última vez.

Quando terminou, Estrela Azul ergueu a cabeça e falou. A voz era baixa, grave e comovida, e o clã ouviu em silêncio. – Rabo Vermelho foi um bravo guerreiro. Sua lealdade ao Clã do Trovão jamais poderá ser questionada. Sempre confiei em seu bom-senso, porque compreendia as necessidades do clã; ele jamais se deixou levar por sentimentos como egoísmo ou orgulho. Teria sido um ótimo líder.

A gata se deitou sobre a barriga, com a cabeça baixa e as patas bem esticadas à frente. Em silêncio, sofreu pelo amigo.

Vários outros gatos se colocaram ao lado dela, cabeças abaixadas, corpos curvados, na mesma posição de lamento de Estrela Azul.

Pata de Fogo observava. Não conhecera Rabo Vermelho, mas mesmo assim ficou emocionado ao testemunhar o lamento do clã.

Pata Cinzenta voltou a se aproximar dele. – Pata de Poeira vai ficar desolado – observou.

– Pata de Poeira?

– O aprendiz de Rabo Vermelho. Aquele gato malhado marrom-escuro ali. Fico aqui me perguntando quem será seu novo mentor.

Pata de Fogo fitou o pequeno gato agachado perto do corpo de Rabo Vermelho, com o olhar perdido no chão, e perguntou: – E Estrela Azul? Quanto tempo vai ficar ali sentada com o guerreiro morto? – miou.

– Provavelmente a noite toda – respondeu Pata Cinzenta. – Por muitas e muitas luas Rabo Vermelho foi o representante de Estrela Azul. Ela não vai querer se afastar dele tão cedo; foi um de seus melhores guerreiros. Não tão grande e poderoso como Garra de Tigre ou Coração de Leão, mas ele era rápido e esperto.

Pata de Fogo olhou para Garra de Tigre, admirando a força que emanava dos músculos poderosos e da cabeça larga. Seu corpo enorme mostrava sinais da vida de guerreiro. Uma das orelhas se dividia num profundo corte em forma de "V" e uma espessa cicatriz cortava o cavalete do nariz.

De repente, Garra de Tigre levantou-se e se aproximou silenciosamente de Pata Negra. Folha Manchada, agachada ao lado do aprendiz ferido, usava os dentes e as patas dianteiras para pressionar chumaços de teia de aranha na ferida do seu ombro.

Pata de Fogo inclinou-se na direção de Pata Cinzenta e perguntou: – O que Folha Manchada está fazendo?

– Estancando o sangramento. Foi um corte feio. Pata Negra parecia estar realmente abalado. Ele sempre foi um pouco agitado, mas nunca o vi tão mal assim. Vamos ver se já acordou.

Abriram caminho entre os gatos chorosos, até o lugar onde Pata Negra estava, e colocaram-se a uma distância respeitosa, para esperar até que Garra de Tigre parasse de falar.

– E então, Folha Manchada? – Garra de Tigre dirigiu-se à gata atartarugada com um miado arrogante. – Como ele está? Acha que pode salvá-lo? Passei muito tempo treinando esse gato e não quero que meus esforços vão por água abaixo na primeira batalha.

Folha Manchada não levantou o olhar do paciente ao responder. – Vai ser mesmo uma pena se, depois do seu valoroso treinamento, ele morrer na primeira luta, não é? – Pata de Fogo percebeu uma certa provocação no suave miado da curandeira.

– Ele vai sobreviver? – perguntou Garra de Tigre.

– É claro. Só precisa descansar.

Garra de Tigre resfolegou e olhou para a figura imóvel. Cutucou Pata Negra com uma das garras dianteiras. – Vamos lá! Levante-se!

Pata Negra não se mexeu.

– Olhe só o tamanho daquela garra! – Pata de Fogo sibilou.

– Caramba! – comentou Pata Cinzenta, impressionado. – Eu é que não ia querer lutar com ele!

– Devagar, Garra de Tigre!! – Folha Manchada colocou sua pata sobre a unha afiada do guerreiro e gentilmente a afastou. – Este aprendiz precisa ficar em repouso até que o corte cicatrize. Não queremos que a ferida se abra só porque ele resolveu dar um salto para agradá-lo. Deixe-o em paz.

Pata de Fogo prendeu a respiração, esperando a reação de Garra de Tigre. Imaginou que poucos gatos ousariam dar ordens ao guerreiro daquele jeito. O grande gato malhado se retesou e parecia que ia falar alguma coisa quando Folha Manchada miou, provocando: – Até você sabe que não se pode discutir com uma curandeira, Garra de Tigre.

Os olhos do guerreiro chisparam com as palavras da pequena gata atartarugada. – Eu não ousaria discutir com *você*, querida Folha Manchada – Garra de Tigre ronronou. Virou-se para sair e viu Pata Cinzenta e Pata de Fogo. – Quem é este? – perguntou a Pata Cinzenta, olhando-os de cima.

– É o novo aprendiz.

– Cheira a gatinho de gente – resfolegou o guerreiro.

– Eu *era* um gato doméstico – Pata de Fogo miou, atrevido –, mas estou treinando para ser um guerreiro.

Garra de Tigre fitou-o com súbito interesse. – Ah, claro. Agora me lembro. Estrela Azul mencionou ter tropeçado em um gatinho de gente desgarrado. Então ela vai realmente treinar você?

Pata de Fogo sentou ereto, ansioso para impressionar o ilustre guerreiro do clã, e miou, com todo o respeito: – Vai, sim.

Garra de Tigre olhou-o, pensativo. – Vou acompanhar seu progresso com interesse.

Pata de Fogo estufou o peito com orgulho, enquanto Garra de Tigre se afastava. – Acha que ele gostou de mim? – perguntou a Pata Cinzenta.

– Não acho que ele *goste* de nenhum aprendiz! – sussurrou o amigo.

Foi quando Pata Negra se mexeu e movimentou as orelhas. – Ele já foi? – perguntou baixinho.

– Quem? Garra de Tigre? – respondeu Pata Cinzenta, aproximando-se. – Já, já foi.

– Como vai? – Pata de Fogo perguntou, tentando se apresentar.

– Saiam, os dois! – Folha Manchada protestou. – Como posso cuidar desse gato com tantas interrupções? – Impaciente, balançou a cauda para Pata Cinzenta e Pata de Fogo e colocou-se entre eles e o paciente.

Pata de Fogo percebeu que a curandeira falava sério, apesar do brilho vívido nos calorosos olhos cor de âmbar.

– Venha, então, Pata de Fogo – miou Pata Cinzenta. – Vou lhe mostrar nosso território. Até mais tarde, Pata Negra.

Os dois gatos deixaram Folha Manchada com o aprendiz ferido e atravessaram a clareira.

Pata Cinzenta parecia pensativo. Estava claramente levando seu papel de guia muito a sério. – Você já conhece a Pedra Grande – começou, apontando com a cauda a rocha grande e lisa. – Estrela Azul sempre se dirige ao clã dali. É onde fica sua toca. – Ergueu o nariz na direção de uma gruta na lateral da Pedra Grande. – A toca foi escavada há muitas luas por um velho riacho. – Uma cortina de liquens cobria a entrada, protegendo do vento e da chuva o refúgio da líder.

– Os guerreiros dormem aqui – Pata Cinzenta continuou.

Pata de Fogo seguiu-o até um arbusto a pouca distância da Pedra Grande. Dali se podiam ver bem os tojos da entrada do acampamento. Os galhos do arbusto eram baixos, mas Pata de Fogo conseguiu ver um espaço protegido, onde os guerreiros faziam seus ninhos.

– Os guerreiros mais experientes dormem perto do centro, onde é mais quente – explicou Pata Cinzenta. Normalmente, partilham as presas frescas naquela moita de urtiga. Os guerreiros mais jovens comem ali perto. Às vezes são convidados a se juntar aos veteranos nessa hora, o que é uma grande honra.

– E os outros gatos do clã? – perguntou Pata de Fogo fascinado, mas ainda completamente perplexo com todas as tradições e os rituais da vida no clã.

– As rainhas também ficam nos alojamentos dos guerreiros quando estão nessa função, mas, quando estão esperando filhotes, ou amamentando, ficam em um ninho perto do berçário. Os anciãos têm seu próprio lugar, do outro lado da clareira. Venha, vou lhe mostrar.

Pata de Fogo seguiu Pata Cinzenta, atravessando a clareira e deixando para trás o canto sombreado onde ficava a toca de Folha Manchada. Pararam ao lado de uma árvore caída que protegia um pedaço de grama viçosa. Agachados no meio do verde macio estavam quatro anciãos devorando um roliço filhote de coelho.

– Pata de Poeira e Pata de Areia devem ter trazido a presa para eles – Pata Cinzenta explicou baixinho. – Um dos deveres dos aprendizes é pegar presa fresca para os anciãos.

– Olá, meu jovem – um dos anciãos saudou Pata Cinzenta.

– Alô, Orelhinha – miou Pata Cinzenta, inclinando a cabeça com respeito.

– Este deve ser nosso novo aprendiz. Pata de Fogo, não é? – miou um segundo felino. Seu pelo malhado era marrom-escuro e havia apenas um cotoco no lugar do rabo.

– Isso mesmo – Pata de Fogo respondeu, imitando o gesto respeitoso de Pata Cinzenta.

– Meu nome é Meio Rabo – ronronou o gato marrom. – Bem-vindo ao clã.

– Vocês já comeram? – miou Orelhinha.

Pata de Fogo e Pata Cinzenta negaram com a cabeça.

– Há comida bastante aqui. Pata de Poeira e Pata de Areia estão se tornando ótimos caçadores. Você se importa se esses jovens partilharem um camundongo conosco, Caolha?

A rainha cinza desbotado, ao lado dele, balançou a cabeça. Pata de Fogo percebeu que a gata tinha um olho embaçado e cego.

– E você, Cauda Mosqueada?

A outra anciã, uma gata atartarugada de focinho cinza, miou com uma voz alquebrada pela idade: – Claro que não.

– Obrigado – miou Pata Cinzenta, ansioso. Adiantou-se, pegou um camundongo grande da pilha de presas e atirou-o aos pés de Pata de Fogo, perguntando: – Você já provou camundongo?

– Ainda não – Pata de Fogo admitiu. De repente, sentiu-se estimulado pelos odores mornos que exalavam da presa fresca. Todo o seu corpo tremeu ao pensar em partilhar a primeira comida de verdade como membro do clã.

– Nesse caso, pode dar a primeira mordida. Deixe um pouco para mim! – Pata Cinzenta abaixou a cabeça e se afastou, dando passagem para Pata de Fogo.

O gato agachou e deu uma boa mordida no camundongo. A carne suculenta e macia traduzia os sabores da floresta.

– Então, o que achou? – perguntou Pata Cinzenta.

– Fantástico! – murmurou Pata de Fogo, ainda de boca cheia.

– Chegue para lá, então – miou Pata Cinzenta, dando um passo à frente e inclinando a cabeça para dar uma mordida.

Enquanto os dois aprendizes partilhavam o camundongo, ouviam os anciãos conversar.

– Quanto tempo vai levar para Estrela Azul nomear um novo representante? – perguntou Orelhinha.

– O que você disse? – miou Caolha.

– Acho que, além de cega, você está ficando surda! – disparou Orelhinha, impaciente. – Perguntei quanto tempo vai levar para Estrela Azul nomear um novo representante.

Caolha ignorou a resposta irritada de Orelhinha e dirigiu-se à rainha atartarugada: – Cauda Mosqueada, você lembra o dia, muitas luas atrás, em que a própria Estrela Azul foi indicada como representante?

Séria, Cauda Mosqueada miou: – Claro! Foi pouco depois que ela perdeu os filhotes.

– Ela não vai ficar contente em indicar um novo representante – observou Orelhinha. – Rabo Vermelho serviu-a fielmente por muito tempo. Mas ela precisa se decidir logo. De acordo com os costumes do clã, a escolha deve ser feita antes da lua alta que ocorre depois da morte do antigo representante.

– Ao menos, desta vez, a escolha é óbvia – miou Meio Rabo.

Pata de Fogo levantou a cabeça e passeou os olhos pela clareira. O que será que Meio Rabo queria dizer? Para Pata de Fogo, todos os guerreiros pareciam dignos de se tornar representante. Talvez ele estivesse se referindo a Garra de Tigre; afinal, queria vingar a morte de Rabo Vermelho.

Garra de Tigre não estava longe; sentado, apontava as orelhas para o lugar onde os anciãos conversavam.

Quando Pata de Fogo esticava a língua para lamber dos bigodes os últimos restos do camundongo, da Pedra Grande ouviu-se o chamado de Estrela Azul. O corpo de Rabo Vermelho ainda estava na clareira, um cinza-claro na luz que se apagava. – Um novo representante precisa ser indicado – ela miou. – Mas, primeiro, vamos agradecer ao Clã das Estrelas pela vida do nosso guerreiro. Esta noite ele estará ao lado de seus companheiros, entre as estrelas.

Fez-se silêncio quando todos os gatos elevaram os olhos para o céu, que começava a escurecer com o cair da noite sobre a floresta.

– Agora devo nomear o novo representante do Clã do Trovão – Estrela Azul continuou. – Digo essas palavras ante o corpo de Rabo Vermelho, para que seu espírito possa ouvir e aprovar minha escolha.

Pata de Fogo olhou para Garra de Tigre. Não pôde deixar de notar o desejo nos olhos cor de âmbar do grande guerreiro quando ele fitou a Pedra Grande.

– Coração de Leão – miou Estrela Azul – será o novo representante do Clã do Trovão.

Pata de Fogo estava curioso para ver a reação de Garra de Tigre. Mas o rosto escuro do guerreiro nada revelava quando ele se dirigiu para cumprimentar Coração de Leão com um abraço tão forte que quase fez o gato dourado perder o equilíbrio.

– Por que ela não escolheu Garra de Tigre como representante? – Pata de Fogo perguntou baixinho para Pata Cinzenta.

– Provavelmente porque faz mais tempo que Coração de Leão é guerreiro; por isso tem muito mais experiência – Pata Cinzenta sussurrou em resposta, ainda olhando para Estrela Azul.

A líder voltou a falar: – Rabo Vermelho também era mentor do jovem Pata de Poeira. Como não deve haver demora no treinamento de nossos aprendizes, devo indicar o novo mentor de Pata de Poeira imediatamente. Risca de Carvão, você está pronto para receber seu primeiro aprendiz; assim, continuará o treinamento de Pata de Poeira. Você teve um ótimo mentor em Garra de Tigre e espero que passe adiante as excelentes habilidades que lhe foram ensinadas.

Risca de Carvão encheu o peito com orgulho ao aceitar a missão com um gesto solene. Dirigiu-se a Pata de Poeira, inclinou a cabeça e, de forma desajeitada, trocou toques de nariz com o novo pupilo. Pata de Poeira movimentou a cauda com respeito, mas seus olhos sem brilho estavam tristes pela morte do antigo mentor.

Estrela Azul elevou a voz. – Passarei a noite velando o corpo de Rabo Vermelho, antes de o enterrarmos ao nascer do sol. – Pulou da Pedra Grande e foi deitar-se outra vez ao lado do corpo do guerreiro. Muitos dos outros felinos se juntaram a ela, entre eles, Pata de Poeira e Orelhinha.

– Devemos sentar com eles? – sugeriu Pata de Fogo. Tinha de admitir que a ideia não o atraía muito. Fora um dia agitado e estava começando a se sentir cansado. Tudo o que queria era achar um lugar quente e seco para se enroscar e dormir.

Pata Cinzenta balançou a cabeça. – Não; apenas os mais chegados a Rabo Vermelho estarão com ele na última noite. Vou lhe mostrar onde vamos dormir. A toca dos aprendizes é ali adiante.

Pata de Fogo seguiu Pata Cinzenta até um cerrado arbusto de samambaia que ficava atrás de um toco de árvore cheio de musgo.

– Todos os aprendizes partilham presas frescas nesse toco – Pata Cinzenta falou.

– São quantos aprendizes? – perguntou Pata de Fogo.

– Não tantos quanto de costume; apenas eu, você, Pata Negra, Pata de Poeira e Pata de Areia.

Enquanto os dois aprendizes se instalavam ao lado do toco de árvore, uma jovem gata surgiu devagar das samambaias. Tinha a pelagem avermelhada, como a de Pata de Fogo, mas muito mais desbotada, mal se distinguindo as riscas mais escuras.

– Eis então o novo aprendiz! – ela miou, estreitando os olhos.

– Olá – respondeu Pata de Fogo.

A jovem gata farejou e disse rispidamente. – Ele cheira a gatinho de gente. Não me diga que vou ter de dividir meu ninho com esse fedor repulsivo!

Pata de Fogo ficou surpreso. Desde sua luta com Rabo Longo, todos os gatos tinham sido bastante amigáveis. Talvez estivessem apenas abalados com as novidades de Pata Negra, pensou.

– Perdoe Pata de Areia – desculpou-se Pata Cinzenta. – Ela deve estar com uma bola de pelo entalada em algum lugar. Não costuma ser tão mal-humorada.

– Cale a boca! – cortou Pata de Areia.

– O que é isso, jovens? – Ouviu-se a voz grave de Nevasca atrás dos aprendizes. – Pata de Areia! Como minha aprendiz, esperava que fosse um pouco mais cordial com o recém-chegado.

Pata de Areia levantou a cabeça e olhou para Nevasca, com ar desafiador. – Sinto muito, Nevasca – ronronou, sem parecer nem um pouco arrependida. – É que não esperava fazer meu treinamento com um *gatinho de gente*; só isso.

– Tenho certeza de que vai se acostumar, Pata de Areia – miou Nevasca, calmamente. – Já está ficando tarde e o treinamento começa bem cedo amanhã. Vocês três devem dormir um pouco. – Lançou um olhar severo para Pata de Areia, que concordou, obediente. Quando Nevasca saiu, ela girou e desapareceu na moita de urtigas, fungando mais uma vez ao passar por Pata de Fogo.

Com um movimento de cauda, Pata Cinzenta convidou Pata de Fogo a segui-lo e foi atrás de Pata de Areia. O chão da área de dormir era coberto de musgo macio, e o luar fraco deixava tudo com um delicado tom de verde. O ar cheirava a samambaia e era mais quente do que o lá de fora.

– Onde é que eu durmo? – perguntou Pata de Fogo.

– Em qualquer lugar, desde que não seja perto de mim! – rosnou Pata de Areia, enquanto revolvia um pouco de musgo com a pata.

Pata Cinzenta e Pata de Fogo trocaram olhares, mas nada disseram. Pata de Fogo juntou uma porção de musgo com as garras. Depois de preparar a cama, fazendo um ninho aconchegante, andou em círculos até se sentir confortável e acomodou-se. Seu corpo todo estava sonolento e feliz. Aquele era seu lar, agora. Ele fazia parte do Clã do Trovão.

CAPÍTULO 5

– Ei, Pata de Fogo, acorde! – o miado de Pata Cinzenta interrompeu o sonho do amigo, que estivera caçando um esquilo até os galhos mais altos de um alto carvalho.

– O treinamento começa ao raiar do sol. Pata de Poeira e Pata de Areia já estão de pé – Pata Cinzenta acrescentou, aflito.

Pata de Fogo se espreguiçou, sonolento, e então lembrou: era o primeiro dia de treinamento. Pôs-se em pé com um pulo e o torpor evaporou à medida que a empolgação invadia suas veias.

Pata Cinzenta tomava um banho rápido. Entre lambidas, miou: – Acabei de falar com Coração de Leão. Pata Negra só vai treinar conosco quando a ferida estiver melhor. Provavelmente vai ficar na toca de Folha Manchada por mais um dia ou dois. Pata de Poeira e Pata de Areia estão em missão de caça. Por isso Coração de Leão pensou que nós dois podíamos treinar com ele e Garra de Tigre hoje de manhã. Ou seja, é melhor se apressar – acrescentou. – Eles estão esperando!

Pata Cinzenta guiou Pata de Fogo rapidamente pela entrada de tojo do acampamento e pela lateral do vale salpicado de pedras. A brisa fresca acariciava seus pelos enquanto subiam para o alto da ravina. Nuvens cheias e brancas cortavam o céu azul. Pata de Fogo sentiu uma alegria feroz brotar dentro dele ao seguir Pata Cinzenta por um declive à sombra de árvores até um vale arenoso.

Garra de Tigre e Coração de Leão estavam realmente esperando por eles, sentados com poucas caudas de distância entre si, na areia aquecida pelo sol.

– No futuro, espero que sejam mais pontuais – rosnou Garra de Tigre.

– Não seja severo demais, Garra de Tigre; a noite de ontem foi difícil. Imagino que tenham mesmo ficado cansados – miou Coração de Leão, apaziguador. – Ainda não lhe foi designado um mentor, Pata de Fogo – continuou. – Por enquanto, Garra de Tigre e eu vamos dividir a responsabilidade pelo seu treinamento.

Pata de Fogo ficou tão entusiasmado que empinou a cauda, incapaz de disfarçar o prazer de ter dois guerreiros tão importantes como mentores.

– Vamos – miou Garra de Tigre, impaciente. – Hoje mostraremos os limites do nosso território para que saibam onde vão caçar e que fronteiras precisam proteger. Pata Cinzenta, não lhe fará mal se lembrar das demarcações do território do clã.

Sem mais nada dizer, Garra de Tigre deu um salto e saiu do vale arenoso. Coração de Leão fez um gesto para Pata

Cinzenta e os dois dispararam na mesma velocidade. Pata de Fogo galgou o terreno atrás deles, as patas escorregando na areia fofa.

As árvores eram troncudas naquela parte da floresta, onde grandes carvalhos faziam sombra para bétulas e freixos. O chão tinha um tapete de folhas mortas quebradiças, que farfalhavam sob as patas dos gatos. Garra de Tigre parou para esguichar seu cheiro num monte de samambaias. Os outros pararam a seu lado.

– Tem um caminho dos Duas-Pernas aqui – murmurou Coração de Leão. – Use o nariz, Pata de Fogo. Consegue identificar algum cheiro?

Pata de Fogo farejou. Havia no ar um leve cheiro de um Duas-Pernas e um odor mais forte, de cachorro, que ele conhecia de sua antiga casa. – Um Duas-Pernas trouxe o cachorro para passear por aqui, mas já foram embora – miou.

– Muito bem – aprovou Coração de Leão. – Acha que é seguro atravessar?

Pata de Fogo farejou mais uma vez. Os odores eram fracos e pareciam encobertos por cheiros mais frescos da floresta. – É, sim – respondeu.

Garra de Tigre concordou e os quatro felinos se esgueiraram para fora da cobertura de samambaias e atravessaram as pedras pontiagudas do estreito caminho dos Duas-Pernas.

Mais adiante havia fileiras e mais fileiras de pinheiros altos e retos. Era fácil andar por ali sem fazer barulho. O chão era espesso, com camadas de agulhas secas de pinheiro que pinicavam as solas de Pata de Fogo, mas lhe davam a sensação de pisar em espuma. Não havia por ali nenhuma vegetação rasteira onde pudessem se esconder, e Pata de Fogo percebeu um certo nervosismo nos outros gatos por caminharem desprotegidos entre os troncos de árvores.

– Os Duas-Pernas puseram essas árvores aqui – miou Garra de Tigre. – Eles as derrubam com criaturas de cheiro ruim que vomitam tanta fumaça que deixa os gatos cegos. Então levam as árvores derrubadas para o Ponto de Corte de Árvores, que fica aqui perto.

Pata de Fogo parou e procurou ouvir o rugido do comedor de árvores, que já conhecia.

– O lugar das Árvores Cortadas vai ficar em silêncio por mais algumas luas, até a época das folhas verdes – explicou Pata Cinzenta, percebendo que ele havia parado.

Os gatos seguiram pela floresta de pinheiros.

– O lugar dos Duas-Pernas fica naquela direção – miou Garra de Tigre, jogando a cauda para o lado. – Sem dúvida, você pode sentir o cheiro, Pata de Fogo. Mas, hoje, vamos para o lado contrário.

Finalmente chegaram até outro caminho dos Duas-Pernas, que marcava o limite extremo da floresta de pinheiros. Cruzaram rapidamente para os arbustos seguros da floresta de carvalhos, mais além. Mas Pata de Fogo ainda percebia a ansiedade dos outros felinos.

– Estamos nos aproximando do território do Clã do Rio – murmurou Pata Cinzenta. – É onde ficam as Rochas Ensolaradas. – Apontou com o focinho macio para um monte de rochas sem vegetação.

Pata de Fogo sentiu o pelo eriçar. Era o lugar onde Rabo Vermelho tinha sido morto.

Coração de Leão parou perto de uma pedra cinza e achatada. – Aqui é a fronteira entre os territórios do Clã do Trovão e do Clã do Rio. O Clã do Rio dita as regras nas zonas de caça ao lado do grande rio – miou. – Respire fundo, Pata de Fogo.

O cheiro cáustico de gatos estranhos chegou ao céu da boca de Pata de Fogo. Ele se surpreendeu ao perceber como era diferente dos cheiros mornos dos gatos do acampamento do Clã do Trovão. E também ficou admirado ao se dar conta de como já lhe pareciam familiares e reconfortantes os odores do Clã do Trovão.

– Este é o cheiro do Clã do Rio – rosnou Garra de Tigre ao seu lado. – Lembre-se bem disso. O cheiro será mais forte na fronteira porque é onde os guerreiros marcam as árvores com seus odores. – Com essas palavras, o gato de pelo escuro ergueu a cauda e esguichou seu cheiro na pedra achatada.

– Vamos seguir essa linha de fronteira, pois ela leva direto a Quatro Árvores – miou Coração de Leão.

Ele se pôs em marcha rapidamente, distanciando-se das Rochas Ensolaradas; foi seguido por Garra de Tigre. Pata Cinzenta e Pata de Fogo os acompanharam.

– Quatro Árvores? O que é isso? – Pata de Fogo arfou.

– É o ponto onde os territórios dos quatro clãs se encontram – respondeu Pata Cinzenta. – Ali há quatro grandes carvalhos, tão velhos quanto os clãs...

– Calados! – ordenou Garra de Tigre. – Não esqueçam que estamos muito perto do território inimigo!

Os dois aprendizes fizeram silêncio e Pata de Fogo se concentrou na caminhada silenciosa. Atravessaram um riacho raso, pulando de uma pedra a outra pelo leito do rio para não molharem as patas.

Quando chegaram a Quatro Árvores, Pata de Fogo estava completamente sem ar e com as patas doloridas. Não estava acostumado a caminhadas tão longas, ainda mais naquela velocidade. Ficou aliviado quando Coração de Leão e Garra de Tigre os conduziram para fora da floresta fechada e pararam no alto de uma encosta coberta de arbustos.

O sol agora estava a pino. As nuvens tinham desaparecido e o vento diminuíra. Abaixo, banhados pelo sol ofuscante, havia quatro enormes carvalhos, as coroas verde-escuras quase alcançando o topo da encosta íngreme.

– Como disse Pata Cinzenta – miou Coração de Leão para Pata de Fogo –, aqui é o lugar chamado Quatro Árvores, onde se juntam os territórios dos quatro clãs. O Clã do Vento governa aquela terra alta à frente, onde o sol se põe. Hoje você não vai conseguir perceber o cheiro deles, pois o vento está soprando a favor. Mas logo vai reconhecer o odor.

– E o Clã das Sombras domina mais adiante, na parte mais escura da floresta – acrescentou Pata Cinzenta, virando a cabeça de um lado para outro. – Os anciãos dizem que os ventos frios do norte sopram sobre os gatos do Clã das Sombras e gelam seus corações.

– São tantos clãs! – exclamou Pata de Fogo. *E tão bem organizados*, pensou, lembrando-se das histórias horripilantes que Borrão contava sobre gatos selvagens espalhando terror pela floresta.

– Você agora pode entender por que a caça é tão valiosa – miou Coração de Leão. – Por que precisamos lutar para proteger o pouco que temos.

– Mas isso parece sem sentido! Por que os clãs não podem trabalhar juntos e partilhar as zonas de caça, em vez de lutarem uns contra os outros? – Pata de Fogo sugeriu, com audácia.

Suas palavras foram recebidas com um silêncio impactante.

Garra de Tigre foi o primeiro a responder: – Essa é uma forma traiçoeira de pensar, gatinho de gente.

– Não seja tão feroz, Garra de Tigre – advertiu Coração de Leão. – As regras dos clãs são novas para esse aprendiz. – Dirigiu-se a Pata de Fogo: – Você fala com o coração, jovem Pata de Fogo. Um dia, isso fará de você um guerreiro mais forte.

Garra de Tigre rosnou: – Ou poderá fazê-lo render-se à fraqueza de gatinho de gente bem no momento do ataque.

Coração de Leão olhou rapidamente para Garra de Tigre antes de continuar. – Os quatro clãs, na verdade, têm um encontro pacífico numa Assembleia a cada lua. Bem aqui – inclinou a cabeça em direção a quatro grandes carvalhos que ficavam abaixo. – A trégua dura até a lua cheia atingir o ápice.

– Então, em breve haverá um encontro? – perguntou Pata de Fogo, lembrando o luar brilhante da véspera.

– É verdade! – respondeu Coração de Leão, parecendo impressionado. – Aliás, é hoje. As Reuniões são muito importantes porque permitem que os clãs se encontrem em paz por uma noite. Mas é preciso que entenda que alianças mais longas trazem mais problemas que benefícios.

– É a nossa lealdade ao clã que nos torna fortes – Garra de Tigre miou, concordando. – Se você enfraquece a lealdade, enfraquece nossas chances de sobrevivência.

– Compreendo – Pata de Fogo miou, assentindo com a cabeça.

– Vamos lá – disse Coração de Leão, pondo-se de pé. – Continuemos a caminhada.

Passaram pelo alto do vale, onde ficava Quatro Árvores. Agora estavam se afastando do sol, que começava a mergulhar no céu da tarde. Cruzaram o riacho num ponto estreito, que permitia a travessia num pulo só.

Pata de Fogo farejou o ar. Um novo cheiro de gato atingiu-lhe as glândulas da boca, forte e ácido. – Que clã é esse? – perguntou.

– O Clã das Sombras – grunhiu, feroz, Garra de Tigre. – Estamos passando por suas fronteiras. Fique alerta, Pata de Fogo. Cheiros mais frescos significam que uma patrulha do Clã das Sombras está na área.

Quando Pata de Fogo concordou com a cabeça, ouviu um barulho alto e desconhecido. Ficou paralisado, mas os outros gatos mantiveram o passo, indo direto na direção do terrível estrondo.

– O que é isso? – Pata de Fogo perguntou, acelerando o passo para alcançar os companheiros.

– Num instante você vai ver – respondeu Coração de Leão.

Pata de Fogo olhou entre as árvores adiante. Pareciam estar ficando mais finas, deixando-se penetrar por uma larga faixa de sol. – Estamos nos limites da floresta? – perguntou. O aprendiz parou e respirou fundo. Os aromas verdes da floresta misturaram-se a outros, estranhos e tenebrosos. Dessa vez não era cheiro de gato, mas um odor que o fez lembrar-se da sua antiga casa dos Duas-Pernas. O barulho se tornava cada vez mais alto e retumbava sem parar, fazendo o chão tremer, maltratando os ouvidos de Pata de Fogo.

– Este é o Caminho do Trovão – miou Garra de Tigre.

Pata de Fogo e os outros seguiram Coração de Leão em direção aos limites da floresta. Então ele sentou, e os quatro gatos se puseram a observar.

Pata de Fogo viu um caminho acinzentado, que cortava a floresta como um rio. A pedra dura e cinza se estendia tão longe à sua frente que as árvores do outro lado pareciam borradas e pequenas. Pata de Fogo estremeceu ao sentir o cheiro acre que exalava do caminho.

De repente, saltou para trás, arrepiando-se todo quando um monstro gigantesco passou rugindo. Os galhos das árvores que ladeavam o caminho batiam loucamente por causa do vento que corria atrás do monstro veloz. Pata de Fogo olhou para os outros felinos; tinha os olhos arregalados e não conseguia falar. Já tinha visto caminhos como aquele perto da sua antiga casa dos Duas-Pernas, mas nunca um tão extenso, nem com monstros tão velozes e bravios.

– Da primeira vez, também morri de medo – observou Pata Cinzenta. – Mas, ao menos, ele ajuda a evitar que os guerreiros do Clã das Sombras entrem no nosso território. O Caminho do Trovão corre por muitas passadas ao longo da nossa fronteira. Não se preocupe; esses monstros, pelo jeito, nunca saem do Caminho do Trovão. Você ficará bem, desde que não chegue perto demais.

– Está na hora de voltar para o acampamento – miou Coração de Leão. – Vocês agora já conhecem todas as nossas fronteiras. Mas vamos desviar das Rochas das Cobras, embora o caminho seja mais longo. Um aprendiz sem treino seria uma presa fácil para uma serpente, e imagino que você esteja ficando cansado, Pata de Fogo.

Pata de Fogo sentiu-se aliviado com a ideia de retornar ao acampamento. Sua cabeça rodopiava com todos os novos cheiros e as novas visões, e Coração de Leão tinha razão: estava cansado e faminto. Colocou-se atrás de Pata Cinzenta quando os gatos se afastaram do Caminho do Trovão e voltaram para a floresta.

Os aromas orvalhados da tardinha enchiam o ar quando Pata de Fogo atravessou a entrada de tojos do acampamento do Clã do Trovão. Presas frescas os esperavam. Pata de Fogo e Pata Cinzenta tiraram suas porções de uma pilha na parte sombreada da clareira e as levaram para o toco de árvore que ficava fora dos alojamentos.

Pata de Poeira e Pata de Areia já estavam lá, mascando vorazmente.

– Ei, gatinho de gente – miou Pata de Poeira, contraindo os olhos desdenhosamente para Pata de Fogo. – Saboreie a comida que *nós* pegamos para você.

– Quem sabe, um dia, você vai aprender a caçar a própria comida! – debochou Pata de Areia.

– Vocês dois ainda estão em missão de caça? – perguntou, inocente, Pata Cinzenta. – Não faz mal. Estávamos patrulhando as fronteiras do nosso território. Vocês vão ficar felizes em saber que está tudo a salvo.

– Tenho certeza de que os outros clãs ficaram apavorados quando farejaram vocês chegando – uivou Pata de Poeira.

– Eles nem sequer ousaram mostrar a cara – replicou Pata Cinzenta, incapaz de disfarçar a raiva.

– Vamos perguntar isso a eles hoje à noite, na Assembleia – miou Pata de Areia.

– Vocês vão à Assembleia? – disparou Pata de Fogo, impressionado, apesar da hostilidade dos aprendizes.

– Claro que vamos – respondeu Pata de Poeira com arrogância – É uma grande honra, você sabe. Mas não se preocupe; pela manhã, contaremos tudo a você.

Pata Cinzenta ignorou a bravata de Pata de Poeira e começou a comer sua presa. Pata de Fogo também estava faminto e inclinou-se para comer. Não conseguiu evitar uma pontada de inveja ao saber que Pata de Poeira e Pata de Areia iriam ao encontro dos outros clãs naquela noite.

Ao ouvir o chamado em voz alta de Estrela Azul, Pata de Fogo olhou para cima. Reparou que diversos guerreiros do clã e os anciãos se reuniam na clareira. Estava na hora de o grupo do clã partir para a Assembleia. Pata de Poeira e Pata de Areia se levantaram e foram juntar-se aos outros gatos.

– Tchau, vocês dois – disse Pata de Areia por sobre os ombros. – Tenham uma boa noite, calma e tranquila!

Os felinos reunidos se dirigiram silenciosamente para a entrada do acampamento em fila indiana, com Estrela Azul à frente. O pelo da líder brilhava como prata à luz da lua e ela estava calma e confiante ao conduzir seu clã para a breve trégua entre velhos inimigos.

– Você nunca esteve em uma Assembleia? – perguntou Pata de Fogo a Pata Cinzenta com certa melancolia.

– Ainda não – respondeu Pata Cinzenta, mascando ruidosamente um osso de camundongo. – Mas não vai demorar muito; basta esperar. Todos os aprendizes têm a sua vez.

Os dois aprendizes fizeram o resto da refeição em silêncio. Quando terminaram, Pata Cinzenta foi até Pata de Fogo e começou a pentear sua cabeça. Ao se lavarem, trocaram lambidas, como Pata de Fogo tinha visto os outros gatos fazerem quando chegou ao acampamento pela primeira vez. Então, cansados da longa caminhada, foram para a toca. Aconchegaram-se nos ninhos e logo pegaram no sono.

Na manhã seguinte, Pata Cinzenta e Pata de Fogo chegaram cedo ao vale arenoso. Tinham saído antes de Pata de Areia e Pata de Poeira acordar. Pata de Fogo estava ansioso para saber sobre a Assembleia, mas Pata Cinzenta o arrastara, dizendo: – Você vai ficar sabendo de tudo mais tarde, se bem conheço aqueles dois.

Mais uma vez, o dia prometia ser quente. Dessa vez, Pata Negra juntou-se a eles. Graças a Folha Manchada, a ferida estava sarando.

Pata Cinzenta brincava, jogando folhas para cima e pulando para apanhá-las. Pata de Fogo prestava atenção, divertido, balançando a cauda. Sentado quietinho em um canto do vale, Pata Negra parecia tenso e infeliz.

– Anime-se, Pata Negra – miou Pata Cinzenta. – Sei que não gosta de treinar, mas nunca o vi tão abatido assim.

Os cheiros de Coração de Leão e Garra de Tigre alertaram os aprendizes de sua chegada, e Pata Negra miou rapidamente: – É que eu não gostaria de machucar meu ombro de novo.

Nesse momento, Garra de Tigre surgiu dos arbustos, seguido de perto por Coração de Leão.

– Guerreiros devem sofrer a dor em silêncio – rosnou Garra de Tigre, fitando Pata Negra direto no olho. – Você precisa aprender a segurar a língua.

Pata Negra recuou e olhou para o chão.

– Garra de Tigre está meio rabugento hoje – Pata Cinzenta cochichou na orelha de Pata de Fogo.

Coração de Leão lançou um olhar severo para o aprendiz e anunciou: – Hoje vamos praticar tocaia. Há uma grande diferença entre aproximar-se de um coelho e aproximar-se de um camundongo. Algum de vocês sabe me dizer por quê?

Pata de Fogo não tinha a menor ideia, e Pata Negra, pelo visto, levara a sério o comentário de Garra de Tigre e estava segurando a língua.

– Vamos! – miou, impaciente, Garra de Tigre.

Foi Pata Cinzenta que respondeu: – Porque um coelho vai sentir o seu cheiro antes de vê-lo, mas um camundongo sentirá seus passos no chão, mesmo antes de farejar você.

– Exatamente, Pata Cinzenta! Então, o que é preciso ter em mente quando caçamos camundongos?

– Pisar de leve? – Pata de Fogo sugeriu.

Coração de Leão olhou-o com aprovação e disse: – Muito bem, Pata de Fogo. É preciso concentrar todo o peso nos quadris, para que as patas não causem impacto no chão da floresta. Vamos experimentar!

Pata de Fogo observou enquanto Pata Cinzenta e Pata Negra agacharam imediatamente na posição de tocaia.

– Muito bem, Pata Cinzenta! – miou Coração de Leão quando os dois aprendizes se moveram para a frente de maneira furtiva.

– Mantenha o quadril baixo, Pata Negra; parece um pato! – disparou Garra de Tigre. – Agora, tente você, Pata de Fogo.

Pata de Fogo agachou e começou a rastejar pelo chão da floresta. Teve a sensação de que seu corpo instintivamente assumiu a posição certa e, ao avançar da maneira mais leve e silenciosa que pôde, encheu-se de orgulho por seus músculos responderem tão facilmente.

– Bem, fica claro que você nada sabe de leveza! – miou Garra de Tigre. – Rastejou como um gatinho de gente pesadão! Está pensando que o jantar vai se deitar na sua tigela e esperar ser comido?

Pata de Fogo se retesou rapidamente ao ouvir as palavras da Garra de Tigre, ficando um tanto abalado pelo tom duro. Ouviu o guerreiro com atenção, determinado a fazer tudo certo.

– O ritmo e o movimento para a frente virão mais tarde, mas o agachamento de Pata de Fogo está perfeitamente equilibrado! – Coração de Leão destacou gentilmente.

– Está melhor que o de Pata Negra, pelo que vejo – reclamou Garra de Tigre, olhando com deboche para o gato negro. – Mesmo depois de duas luas de treinamento, você ainda está colocando todo o peso do lado esquerdo do corpo.

Pata Negra ficou ainda mais desalentado; Pata de Fogo não se conteve e deixou escapar: – Mas o machucado dele está doendo, é por isso.

Garra de Tigre virou a cabeça e encarou Pata de Fogo. – As feridas fazem parte da vida. Ele devia ser capaz de se adaptar. Até você, Pata de Fogo, aprendeu alguma coisa nesta manhã. Se Pata Negra pegasse as coisas tão depressa quanto você, ele seria motivo de honra para mim, não um problema. Imagine ser ultrapassado por um gatinho de gente! – grunhiu, zangado, para o aprendiz.

Incomodado com aquilo, Pata de Fogo sentiu o pelo pinicar. Não conseguia encarar Pata Negra e olhou para baixo, para as próprias patas.

– Bem, *eu* estou mais torto que um texugo perneta – miou Pata Cinzenta, passando a cambalear comicamente pela clareira. – Vou ter de me conformar com caçar camundongos burros. Eles não terão nenhuma chance. Irei capengando até onde estiverem e sentarei em cima deles até que se rendam.

– Concentre-se, jovem Pata Cinzenta. Não é hora de fazer piada! – miou, sério, Coração de Leão. – Talvez consiga se concentrar melhor se tentar tocaiar uma presa de verdade.

Os três aprendizes ficaram animados.

– Quero que cada um de vocês tente apanhar uma presa de verdade – miou Coração de Leão. – Pata Negra, olhe ao lado da Árvore da Coruja. Pata Cinzenta, deve haver alguma coisa naquela grande faixa de amoreiras ali adiante. E você, Pata de Fogo, siga a pista dos coelhos naquela subida; vai encontrar o leito seco de um riacho de inverno. É capaz de achar alguma coisa por lá.

Os aprendizes saíram, até mesmo Pata Negra, que encontrou alguma energia extra para encarar o desafio.

Com o sangue pulsando nas orelhas, Pata de Fogo rastejou devagar pela subida. Realmente um leito de rio cortava as árvores à sua frente. Na época das folhas caídas, imaginou, aquele leito levaria a chuva da floresta em direção ao grande rio que atravessava o território do Clã do Rio. Agora estava seco.

Pata de Fogo se arrastou sem barulho pela margem e agachou no terreno arenoso. Seus sentidos se inflamavam de excitação. Em silêncio, examinou o rio seco, atrás de sinais de vida. Com a boca aberta, para captar até mesmo o cheiro mais discreto, e as orelhas voltadas para a frente, prestava atenção a cada pequeno movimento.

Sentiu, então, cheiro de camundongo. Reconheceu o odor imediatamente, lembrando-se da primeira prova na noite anterior. Uma energia selvagem tomou conta dele, mas ele não se mexeu, tentando desesperadamente localizar a presa.

Retesou as orelhas para a frente e então percebeu o rápido pulsar de um minúsculo coração de camundongo. Foi quando um lampejo marrom atraiu seu olhar. A criatura escalava o gramado alto que margeava o rio. Pata de Fogo avançou um pouco mais, lembrando-se de manter o peso nos quadris até que estivesse na distância certa para pular. Em seguida, apoiando-se firmemente nas patas traseiras, tomou impulso e saltou, levantando uma nuvem de areia.

O camundongo esquivou-se. Mas Pata de Fogo foi mais rápido. Atirou-o no ar com uma pata, lançou-o no leito arenoso do rio e arremessou-se sobre ele, abatendo-o com uma mordida certeira.

Pata de Fogo levantou com cuidado o corpo morno entre os dentes e, com a cauda erguida, voltou para o vale onde Garra de Tigre e Coração de Leão esperavam. Era a primeira vez que matava uma presa. Agora era um verdadeiro aprendiz do Clã do Trovão.

CAPÍTULO 6

O SOL DO INÍCIO da manhã banhava o chão da floresta quando Pata de Fogo saiu em busca de presas. Duas luas haviam se passado desde o início do seu treinamento. Ele se sentia à vontade naquele ambiente agora. Seus sentidos tinham sido despertados e educados à maneira da floresta.

Pata de Fogo parou para farejar a terra e as coisas escondidas que nela se revolviam. Percebeu o cheiro de um Duas-Pernas que andara pela floresta recentemente. Agora que a época das folhas verdes chegara de verdade, a folhagem enchia os galhos de árvores e pequenas criaturas trabalhavam ocupadas sob o tapete de humo.

A sombra esguia e forte de Pata de Fogo movia-se silenciosamente entre as árvores, e todos os seus sentidos estavam atentos à trilha de cheiros que terminaria em uma morte rápida. Era a primeira vez que saía sozinho numa missão e estava determinado a ter sucesso, mesmo que a missão fosse apenas levar presas frescas para o clã.

Dirigiu-se ao riacho que havia cruzado na sua primeira caminhada pela zona de caça do Clã do Trovão. Borbulhas de água respingavam do rio que corria sobre as pedras lisas e redondas. Pata de Fogo fez uma pequena parada para beber da água fria e clara; levantou a cabeça e voltou a farejar o ar, procurando algum cheiro de presa.

O fedor de raposa era forte. Um cheiro azedo denunciava que ela andara bebendo por ali mais cedo. Pata de Fogo reconheceu o odor que sentira na primeira visita à floresta. Desde então, Coração de Leão lhe ensinara que aquilo era cheiro de raposa, mas, além de uma cauda que ele vira de relance naquela primeira saída, Pata de Fogo nunca tinha visto uma raposa de verdade.

Teve de se esforçar para ignorar o odor de raposa e se concentrar no cheiro da presa. De repente, os bigodes se retesaram quando ele percebeu o pulsar do sangue quente de uma caça – um rato silvestre se mexendo no ninho.

Um momento depois, ele avistou a presa. O corpo gordo e marrom se lançava para a frente e para trás ao longo da margem, enquanto o rato juntava hastes de grama. Pata de Fogo ficou com água na boca só de imaginar. Já fazia muitas horas desde sua última refeição, mas não ousaria caçar para si mesmo até que o clã tivesse sido alimentado. Lembrava-se das palavras que Coração de Leão e Garra de Tigre não cansavam de repetir: "O clã deve ser alimentado em primeiro lugar."

Agachou-se e começou a tocaiar a pequena criatura. Sua barriga amarela roçava a grama úmida. Chegou mais perto, sem tirar os olhos da presa. Estava quase lá. Mais um instante e estaria perto suficiente para pular...

De repente, alguma coisa se mexeu nas samambaias atrás dele, fazendo barulho. As orelhas do rato silvestre estremeceram e ele desapareceu em um buraco na margem.

Pata de Fogo sentiu o pelo eriçar-se ao longo da espinha. Algo arruinara sua primeira boa chance de pegar uma presa e, fosse o que fosse, haveria de pagar.

Farejou o ar. Sabia que era um gato, mas percebeu com um tremor que não podia identificar a que clã pertencia, pois o cheiro azedo da raposa confundia seu olfato.

Um grunhido brotou-lhe na garganta quando ele começou a recuar, fazendo um grande círculo. Retesou as orelhas e arregalou os olhos, procurando algum movimento. Ouviu o ruído na vegetação mais uma vez. Agora era mais alto, vinha de um dos lados. Pata de Fogo se aproximou. Viu as samambaias se movendo, mas a copa das árvores ainda o impedia de ver o inimigo. Um galho quebrou, produzindo um som agudo. *Pelo barulho, deve ser grande*, pensou Pata de Fogo, preparando-se para uma batalha feroz.

Pulou para o tronco de um freixo e subiu rápida e silenciosamente até um galho pendurado. Debaixo dele, o guerreiro invisível se aproximava cada vez mais. Pata de Fogo prendeu a respiração e, enquanto avaliava a situação, as samambaias se abriram e delas surgiu uma grande forma acinzentada.

– Grrrrrrr – O grito de batalha bramiu na garganta de Pata de Fogo. Garras de fora, ele se lançou sobre o inimigo, caindo sobre ombros vigorosos e peludos. Atirou-se com força, cravando as garras afiadas, pronto para desferir uma poderosa mordida de alerta.

– Ei! Ei! O que é isso? – O corpo sob Pata de Fogo deu um pulo no ar, carregando-o junto.

– Hã? Pata Cinzenta? – Pata de Fogo reconheceu a voz espantada e sentiu o cheiro familiar do amigo; mas estava muito agitado para soltar as garras.

– Emboscada!! Miauuuuuuuuu!! – disparou Pata Cinzenta, sem perceber que era Pata de Fogo que lhe agarrava as costas. O gato se contorcia sem parar, tentando se soltar do agressor.

– Uuff-ff! – Pata de Fogo se contorcia também, imprensado e achatado sob o corpo pesado. – Sou eu, Pata Cinzenta! – gritou, lutando para se libertar e recolher as garras. Retorcendo-se, ficou de pé; sacudiu o corpo todo, num tremor que lhe eriçou o pelo até a ponta da cauda. – Pata Cinzenta! Sou eu – repetiu. – Pensei que fosse um guerreiro inimigo!

Pata Cinzenta se levantou. Estremeceu e sacudiu o corpo. – Parecia mesmo! – falou entre dentes, virando a cabeça para lamber os ombros machucados. – Você me arranhou todo!

– Desculpe! – Pata de Fogo murmurou. – Mas o que é que eu ia pensar, com você se aproximando desse jeito sorrateiro?

– Sorrateiro? – Os olhos de Pata Cinzenta ficaram redondos de indignação. – Foi minha melhor tocaia.

– Tocaia! – Você foi tão discreto quanto um texugo manco! – Pata de Fogo provocou, abaixando as orelhas, divertido.

Pata Cinzenta deu um assobio de prazer. – Vou lhe mostrar quem é manco.

Os dois gatos pularam, engalfinhando-se numa luta de brincadeira. Pata Cinzenta atingiu Pata de Fogo com força e o jovem aprendiz viu estrelas, a cabeça zunindo.

– Uufff-ff! – Pata de Fogo sacudiu a cabeça para colocar as ideias em ordem e partiu para o contra-ataque.

Conseguiu ainda dar uns dois golpes antes que Pata Cinzenta o dominasse, mantendo-o no chão. Pata de Fogo soltou o corpo.

– Você desiste fácil demais! – miou Pata Cinzenta, afrouxando a garra. Nesse momento, Pata de Fogo ergueu-se com um giro do corpo, atirando Pata Cinzenta na vegetação.

Em seguida, pulando sobre ele, Pata de Fogo imobilizou-o no chão. – A surpresa é a maior arma de um guerreiro – grunhiu, citando uma das frases favoritas de Coração de Leão. Soltou-se agilmente de Pata Cinzenta e começou a rolar na camada de folhas, saboreando a vitória fácil e o calor da terra nas costas.

Pata Cinzenta não pareceu aborrecido pela segunda derrota da manhã. O dia estava bonito demais para entregar-se ao mau humor. – E então? Como está se saindo nessa primeira tarefa? – perguntou.

Pata de Fogo sentou – Ia muito bem até você aparecer! Estava a ponto de pegar um rato silvestre quando o barulho dos seus passos o assustou e ele fugiu.

– Ah, desculpe – miou Pata Cinzenta.

Pata de Fogo olhou para o amigo cabisbaixo. – Tudo bem. Você não sabia – ronronou. – Mas você não devia estar indo ao encontro da patrulha na fronteira do Clã do

Vento? Pensei que tinha de lhes entregar uma mensagem de Estrela Azul.

– É verdade, mas ainda tenho muito tempo. Primeiro ia caçar um pouco. Estou morto de fome!

– Eu também. Mas preciso caçar para o clã antes de caçar para mim.

– Aposto que Pata de Poeira e Pata de Areia costumavam engolir um ou dois musaranhos quando estavam em missão de caça – bufou Pata Cinzenta.

– Não ficaria surpreso com isso, mas esta é minha primeira tarefa sozinho...

– E você quer fazer direitinho; sei como é – Pata Cinzenta suspirou.

– Afinal, qual é a mensagem de Estrela Azul? – Pata de Fogo perguntou, mudando de assunto.

– Ela quer que a patrulha espere no Grande Plátano até que se reúna a eles no sol alto. Parece que alguns felinos do Clã das Sombras estiveram por lá atrás de presas. Estrela Azul quer fazer uma inspeção.

– Então, é melhor você ir – Pata de Fogo aconselhou.

– As zonas de caça do Clã do Vento não ficam longe daqui. Há tempo de sobra – respondeu Pata Cinzenta, confiante. – Acho que é melhor ajudar você, já que, por minha causa, perdeu o rato silvestre.

– Não faz mal – miou Pata de Fogo. – Encontrarei outro. O dia está tão quente que deve haver um bocado deles por aí.

– É verdade. Mas você ainda precisa pegá-los. – Pata Cinzenta mordiscou, pensativo, uma das patas dianteiras, tirando uma lasca da garra descoberta – Você sabe que isso pode demorar até o sol ficar alto, talvez até o pôr do sol.

Pata de Fogo concordou sem entusiasmo, sentindo a barriga roncar. Provavelmente teria de fazer três ou quatro excursões de caça antes de conseguir acumular presas suficientes. O Tule de Prata estaria no céu antes que tivesse uma chance de comer.

Pata Cinzenta balançou os bigodes. – Vamos lá; vou ajudá-lo a começar. É o mínimo que posso fazer para compensá-lo. Acho que conseguiremos pegar alguns ratos silvestres antes que eu me vá.

Pata de Fogo seguiu Pata Cinzenta rio acima, contente pela companhia e pela ajuda. O fedor da raposa ainda estava no ar, mas, de repente, pareceu mais forte.

Pata de Fogo parou e perguntou: – Está sentindo esse cheiro?

Pata Cinzenta parou e também farejou o ar. – É raposa. Já senti esse cheiro hoje.

– Mas não parece mais fresco agora? – perguntou Pata de Fogo.

Pata Cinzenta voltou a farejar, abrindo levemente a boca. – Você tem razão – murmurou, abaixando a voz. Virou a cabeça para olhar do outro lado do rio, na direção dos arbustos que ficavam na floresta. – Olhe! – falou baixinho.

Pata de Fogo olhou e viu uma coisa vermelha e peluda se movendo entre os arbustos e entrando em uma clareira da vegetação. Era um corpo baixo e rubro, que cintilava à luz do sol. A cauda era bastante peluda, com uma ponta comprida e estreita.

– Então, isto é que uma raposa? – cochichou Pata de Fogo – Que focinho feio!

– Tem razão! – concordou Pata Cinzenta.

– Eu estava seguindo uma dessas quando nós... nos conhecemos – murmurou Pata de Fogo.

– Era ela que provavelmente seguia você, seu idiota! – sibilou Pata Cinzenta. – Jamais confie numa raposa. Parece um cachorro, mas se comporta como um gato. Precisamos avisar as rainhas sobre essa raposa desgarrada no nosso território. – As raposas são tão ruins quanto os texugos quando se trata de matar filhotes. Estou feliz que você não a tenha alcançado quando a viu da última vez. Ela teria feito gato e sapato de alguém tão pequeno. – Pata de Fogo olhou meio sem jeito e Pata Cinzenta acrescentou: – Mas agora você já tem mais chance. De qualquer forma, provavelmente Estrela Azul vai mandar uma patrulha de guerreiros para espantá-la. Isso vai acalmar as rainhas.

A raposa não tinha notado os dois aprendizes que, assim, continuaram ao longo do riacho.

– Então, como é um texugo? – perguntou Pata de Fogo, à espreita, farejando de um lado para outro.

– Preto e branco, pernas curtas. Você vai reconhecer quando encontrar. São mal-humorados, animais pesados. É menos provável que eles ataquem o berçário do que uma raposa, mas sua mordida é terrível. Como você acha que o velho Meio Rabo ganhou aquele nome? Ele não consegue mais subir em árvore desde que um texugo lhe arrancou a cauda!

– Por que não?

– Tem medo de cair. Um gato precisa do rabo para aterrissar de pé. O rabo ajuda a girar no meio do salto.

Pata de Fogo balançou a cabeça, sinalizando que havia entendido.

Como Pata de Fogo previra, a caça foi boa naquele dia. Não demorou muito para Pata Cinzenta agarrar um camundongo pequeno e Pata de Fogo pegar um sabiá. Ele o matou rapidamente. Não havia tempo para praticar técnicas de abate. Eram muitíssimas as bocas famintas esperando no acampamento. Pata de Fogo jogou terra sobre a presa, para que ficasse a salvo de predadores até que viesse buscá-la.

De repente, apareceu um esquilo.

Pata de Fogo se pôs em ação. – Atrás dele! – gritou, espichando-se ao se atirar no chão da floresta, seguido por Pata Cinzenta.

Parou de súbito quando o esquilo escapuliu para o alto de uma bétula.

– Nós o perdemos! – Pata Cinzenta grunhiu, desapontado.

Resfolegando, os dois gatos pararam para recuperar o ar. O fedor acre que chegava a suas bocas e narizes os surpreendeu.

– O Caminho do Trovão – miou Pata de Fogo. – Não percebi que tínhamos vindo tão longe.

Os dois gatos avançaram para olhar além da floresta, para o caminho grande e escuro. Era a primeira vez que estavam ali sozinhos. Uma trilha de criaturas barulhentas grunhia pela superfície dura, com os olhos mortos olhando direto para a frente.

– Eca! – miou Pata Cinzenta. – Esses monstros realmente fedem!

Pata de Fogo sacudiu as orelhas, concordando. Aqueles cheiros asfixiantes faziam sua garganta arder. – Você nunca esteve no Caminho do Trovão? – miou.

Pata Cinzenta negou com a cabeça.

Pata de Fogo deu um passo e saiu do refúgio da floresta. Havia uma margem de grama oleosa entre as árvores e o Caminho do Trovão. Devagar, colocou ali uma pata, mas se encolheu para trás quando, violentamente, passou um monstro com um cheiro terrível.

– Ei, aonde você vai? – miou Pata Cinzenta.

Pata de Fogo não respondeu. Esperou até não ver mais nenhum monstro. Então, mais uma vez, ultrapassou a margem de grama, coladinho na beira do caminho. Com cuidado, colocou ali uma pata. Era quente, meio pegajoso, aquecido pelo sol. Olhou para cima, para o outro lado do Caminho do Trovão. Seria um par de olhos brilhando lá longe? Farejou o ar, mas só conseguiu sentir o fedor do grande caminho cinza. Os olhos do outro lado ainda brilhavam nas sombras. Até que pestanejaram.

Pata de Fogo tinha certeza agora. Era um guerreiro do Clã das Sombras que o fitava diretamente.

– Pata de Fogo! – A voz de Pata Cinzenta fez Pata de Fogo pular, exatamente quando um monstro enorme, mais alto que uma árvore, rugiu pertinho do seu nariz. O bafo quase o derrubou. Pata de Fogo se virou e correu o mais depressa que pôde para a segurança da floresta.

– Seu bobo com miolo de camundongo! – disparou Pata Cinzenta, os bigodes tremendo de medo e raiva. – O que está fazendo?

– Só queria saber como era o Caminho do Trovão – Pata de Fogo murmurou. Seus bigodes também estavam tremendo.

– Venha – sibilou asperamente Pata Cinzenta. – Vamos dar o fora daqui!

Pata de Fogo pulou de volta para a floresta e seguiu o amigo. Quando estavam a uma distância segura do Caminho do Trovão, Pata Cinzenta parou para recuperar o fôlego.

Pata de Fogo sentou e começou a lamber o pelo eriçado. – Acho que vi um guerreiro do Clã das Sombras – miou entre uma lambida e outra. – Na floresta, do outro lado do Caminho do Trovão.

– Um guerreiro do Clã das Sombras! – repetiu Pata Cinzenta, com os olhos arregalados. – É mesmo?

– Tenho certeza.

– Foi bom que o monstro tenha passado naquela hora – replicou Pata Cinzenta. – Onde há um guerreiro do Clã das Sombras, há outros mais, e nós ainda não somos páreo para eles. Melhor irmos embora. – Olhou para cima, encarando o sol quase a pino. – É bom eu me mexer se quiser encontrar a patrulha a tempo – miou. – Até mais tarde. – Pulou na direção da vegetação, dizendo, ao se afastar: – Nunca se sabe; Coração de Leão talvez me deixe vir ajudá-lo na caçada depois que eu entregar a mensagem.

Pata de Fogo olhou o amigo se afastar. Teve inveja de Pata Cinzenta; quem dera fosse ele a se juntar a uma patrulha de guerreiros. Mas, ao menos, teria alguma coisa para contar a Pata de Poeira e a Pata de Areia quando voltasse ao acampamento. Tinha visto seu primeiro guerreiro do Clã das Sombras.

CAPÍTULO 7

PATA DE FOGO RETOMOU o caminho de volta ao riacho. Pensava naqueles olhos queimando na escuridão do território do Clã das Sombras.

De repente sentiu um cheiro tênue na brisa.

Um estranho! Talvez o guerreiro do Clã das Sombras...

Imediatamente um grunhido desprendeu-se da garganta de Pata de Fogo. A mensagem olfativa lhe dizia muitas coisas. O estranho era uma gata, não muito jovem e que, com certeza, não fazia parte do Clã do Trovão. Não exalava o cheiro peculiar de nenhum dos clãs, mas Pata de Fogo podia perceber que estava cansada, faminta e doente – e de mau humor.

Pata de Fogo agachou-se e avançou na direção do odor. Então parou, atrapalhado. O cheiro de guerreiro estava agora mais fraco. Ele voltou a farejar.

De repente, como faísca, uma bola de pelo emaranhado surgiu dos arbustos, caindo atrás dele.

Apanhado de surpresa, Pata de Fogo berrou quando a gata arremeteu-se contra ele, derrubando-o de lado. Duas patas pesadas cravaram-se em seus ombros, e mandíbulas de ferro fecharam-se em seu pescoço. – Miauuuuuuuu! – grunhiu, já pensando rápido. Se o agressor enfiasse as garras fundo demais, tudo estaria acabado.

Ele se fez de vencido, relaxando os músculos como se estivesse dominado, e emitiu um grito fingido de alarme.

A gata abriu a boca para um grito triunfante. – Ah, um pequeno aprendiz. Vítima fácil para Presa Amarela – sibilou.

Ao ouvir o insulto, Pata de Fogo se encheu de fúria. *Espere só*. Ia mostrar para aquela bola de pelo cuspida que tipo de guerreiro ele era. *Mas ainda não*, pensou. *Espere até sentir os dentes dela de novo.*

Presa Amarela mordeu. Pata de Fogo se jogou para cima com toda a força de seu vigoroso corpo jovem. A gata miou, surpresa, ao ser atirada longe e bateu em retirada, na direção de um arbusto de tojo.

Pata de Fogo sacudiu-se: – Não sou uma presa assim tão fácil, não é?

Presa Amarela exalava desconfiança quando conseguiu se soltar dos galhos fechados e disparou: – Nada mau, jovem aprendiz. Mas você vai precisar fazer muito melhor!

Pata de Fogo piscou quando viu a adversária claramente pela primeira vez. Presa Amarela tinha uma cara larga, quase achatada, e olhos redondos e cor de laranja. O pelo escuro e cinza era longo e estava emaranhado em tufos fedorentos. Tinha as orelhas machucadas e rasgadas, e o focinho trazia cicatrizes de muitas antigas batalhas.

Pata de Fogo não se mexeu. Estufou o peito e lançou o

desafio na cara da intrusa: – Você está na zona de caça do Clã do Trovão. Caia fora!

– Quem é que vai me obrigar? – Presa Amarela retraiu o lábio, desafiadora, expondo dentes manchados e quebrados. – Vou caçar. *Depois* vou embora. Ou talvez eu fique um pouco...

– Chega de conversa – Pata de Fogo disparou, sentindo por dentro a agitação dos antigos espíritos dos felinos. Não havia nele nenhum vestígio de gato doméstico naquele momento. Seu sangue de guerreiro fervia. Ele estava louco para lutar, para defender seu território e proteger seu clã.

Presa Amarela percebeu a mudança nele. Os ferozes olhos cor de laranja brilhavam agora com respeito. Abaixando a cabeça e desviando o olhar, ela começou a recuar. – Não precisa se precipitar – ronronou em tom sedoso.

Pata de Fogo não caiu no truque. Com as garras esticadas e a pele eriçada, pulou para a frente, dando seu grito de guerra: – Grr-aaar!

Com um uivo de raiva, a gata respondeu. Rosnando e cuspindo, o gato jovem e a gata velha se engalfinharam. Rolaram para lá e para cá, dentes e garras em ação. Com as orelhas coladas contra a cabeça, Pata de Fogo tentava a todo custo agarrar Presa Amarela. Mas o pelo emaranhado da gata se enrolava em suas garras e ele não conseguia atingir-lhe a pele.

Presa Amarela ergueu-se então nas patas traseiras. Com a cauda imunda e arrepiada, parecia ainda maior.

Pata de Fogo viu a boca enorme de Presa Amarela vindo na sua direção e conseguiu se inclinar para trás bem na hora. *Uma dentada!* Dentes maltratados se fecharam no ar perto de sua orelha.

Instintivamente, Pata de Fogo revidou com um golpe. Sua pata pegou a lateral da cabeça de Presa Amarela. Foi uma pancada tão forte que ele sentiu ondas de choque na pata dianteira.

– Uauu! – Zonza, Presa Amarela caiu nas quatro patas. Sacudiu a cabeça para colocar as ideias em ordem.

Era apenas uma batida de coração antes que a gata se recuperasse, e Pata de Fogo aproveitou a oportunidade. Jogou-se para a frente, agachou e enfiou as mandíbulas direto na perna traseira de Presa Amarela. – Murrrrr! – O gosto do pelo emaranhado era horrível, mas ele mordeu fundo.

– Ruuur, uuuuuuuuuuuuui – Presa Amarela berrou de dor, enquanto se debatia para tentar morder a cauda de Pata de Fogo.

Os dentes da gata se fecharam e Pata de Fogo sentiu a dor atravessar-lhe a espinha. Mas isso só o deixou mais zangado. Arrancou a cauda da boca da oponente e sacudiu-a com força para a frente e para trás, com raiva.

Presa Amarela agachou, preparando-se para um novo ataque. Seu hálito parecia vir direto dos pulmões fedorentos. O cheiro fulminou o nariz de Pata de Fogo. Assim de perto, a mensagem de desespero e fraqueza, o vazio dolorido do estômago faminto da gata chegava a machucar.

Alguma coisa se agitou dentro dele, um sentimento que não condizia com um guerreiro: piedade. Tentou não se deixar dominar por esse instinto – sabia que era ao clã que devia lealdade – mas não conseguiu evitar. – Você fala com o coração, jovem Pata de Fogo. – As palavras de Coração de Leão mais uma vez ecoaram em sua cabeça. – Um dia, isso fará de você um guerreiro mais forte. – Então, a advertência de Garra de Tigre buzinou na sua orelha: – Ou poderá fazê-lo render-se à fraqueza de gatinho de gente bem no momento do ataque.

Presa Amarela investiu e Pata de Fogo devolveu a agressão. A gata tentou subir nos ombros dele para um golpe mortal, mas, dessa vez, foi impedida pela perna ferida.

– Grr, grr! – Pata de Fogo arqueou a espinha, mas Presa Amarela conseguiu enfiar-lhe as garras e cravou-as com força. Maior do que ele, a gata o manteve no chão com seu peso.

Pata de Fogo sentiu o gosto de terra na língua e cuspiu a areia que lhe enchia a boca. – Pah!

Virou-se agilmente para evitar as pernas traseiras de Presa Amarela, que não paravam de golpeá-lo, e as garras afiadas que tentavam arranhar-lhe a barriga macia. E assim rolaram e rolaram, mordendo-se e arranhando-se.

Momentos depois, se separaram. Pata de Fogo respirava com dificuldade, mas percebeu que Presa Amarela fraquejava. Estava muito ferida e as patas traseiras mal conseguiam suportar o corpo magro.

– E então? Já chega? – Pata de Fogo grunhiu. Se a intrusa se rendesse, ele a deixaria ir apenas com uma mordida de advertência para ser lembrado.

– Nunca! – Presa Amarela sibilou de volta, bravamente. Mas a perna ferida falseou e ela caiu no chão. Tentou levantar-se, mas não conseguiu. Seus olhos estavam embaçados quando se dirigiu a Pata de Fogo com voz fraca: – Se não estivesse tão faminta e cansada, teria transformado você em poeira de camundongo. – A boca da gata se contorcia em dor e desafio. – Acabe comigo. Não vou impedi-lo.

Pata de Fogo hesitou. Jamais tinha matado outro gato. No calor da batalha, talvez o fizesse. Mas a sangue-frio? Isso era muito diferente.

– O que está esperando? – Presa Amarela provocou. – Você está vacilando como um gatinho de gente!

Pata de Fogo despertou ao ouvir as palavras da gata. Será que podia sentir nele o cheiro dos Duas-Pernas, mesmo depois de tanto tempo?

– Sou um aprendiz de guerreiro do Clã do Trovão – disparou.

Presa Amarela estreitou os olhos. Viu que Pata de Fogo se incomodara com suas palavras e percebeu que atingira um ponto fraco. A gata miou: – Ah, não me diga que o Clã do Trovão está tão desesperado que precisa recrutar gatinhos de gente agora?

– O Clã do Trovão não está nada desesperado! – devolveu Pata de Fogo.

– Então prove! Aja como um guerreiro e acabe comigo. Estará me fazendo um favor.

Pata de Fogo a encarou. Não ia ser impelido a matar aquela criatura infeliz. Sentiu os músculos relaxarem à medida que a curiosidade o cutucava. Como um gato de clã tinha chegado àquele estado? Os anciãos do Clã do Trovão eram mais bem cuidados que os filhotes! – Você parece estar com uma pressa terrível de morrer! – miou.

– É mesmo? Bem, isso não é da sua conta, sua ração de camundongo – provocou Presa Amarela. – Qual é o seu problema, gatinho? Está tentando me matar de tanto *falar* comigo?

As palavras eram corajosas, mas Pata de Fogo sentia a fome e a doença que emanavam da gata em ondas. Ela ia mesmo acabar morrendo se não comesse logo. E como não conseguiria caçar sozinha, talvez fosse melhor matá-la agora. Os gatos se fitaram; a incerteza pairava nos dois olhares.

– Espere aqui – Pata de Fogo finalmente ordenou.

Presa Amarela pareceu afrouxar. Os pelos abaixaram e a cauda perdeu a rigidez que lembrava um tojo. – Está brincando, gatinho? Não vou a parte alguma – ela grunhiu, enquanto se dirigia para um tapete de urzes macias logo ali, mancando de dor. Despencou ali mesmo e começou a lamber a perna machucada.

Pata de Fogo olhou-a por cima do ombro e bufou, exasperado, antes de rumar para as árvores.

Caminhando em silêncio entre as samambaias, sentiu os odores aquecidos pelo sol penetrarem seu nariz e distinguiu entre eles o fedor acre de um rato morto havia tempo. Ouviu o ruído dos insetos sob a casca das árvores, barulhinhos de coisas peludas correndo sobre as folhas. Seu primeiro pensamento foi desenterrar o sabiá que tinha matado mais cedo, mas isso ia tomar tempo demais. Talvez devesse escavar a carcaça do rato. Era uma forma de conseguir carne fácil, mas um gato faminto precisa de presa fresca. Só em tempos muito difíceis um guerreiro comeria comida de corvo.

Foi quando parou, farejando mais adiante um jovem coelho. Deu mais uns passos e conseguiu vê-lo. Agachou e ficou à espreita. Estava a menos de um camundongo de distância quando foi detectado. Mas era tarde demais. O rabo pequeno e branco a fugir em disparada atiçou nas veias de Pata de Fogo a vibração da caça. Com um movimento ágil e garras certeiras, ele o pegou.

Imobilizando rapidamente o corpo agitado, logo acabou com ele.

Presa Amarela lançou a Pata de Fogo um olhar cansado quando ele soltou o coelho no chão, ao lado dela. Estava surpresa. – Bom, oi de novo, gatinho! Pensei que tivesse ido buscar seus amiguinhos guerreiros.

– É? Bem, talvez ainda faça isso. E não me chame de gatinho – reclamou Pata de Fogo, empurrando o coelho mais para perto dela com o focinho. Estava sem graça com a própria gentileza. – Olhe, se não quiser...

Presa Amarela logo retrucou: – Ah, não. Quero sim.

Pata de Fogo ficou observando enquanto a gata rasgava a presa e começava a engoli-la. A fome do aprendiz aflorou, a boca se encheu de água. Sabia que não devia sequer pensar em comida. Ainda precisava levar presas suficientes para o clã, mas aquela presa fresca tinha um cheiro delicioso.

– Hummm-mm – Alguns minutos depois, Presa Amarela soltou um grande suspiro e caiu de lado. – A primeira presa fresca que comi em dias. – Limpou o nariz com a língua e se preparou para um banho completo.

Como se um banho fosse fazer muita diferença, Pata de Fogo pensou, mexendo o nariz. Ela era o próprio fedor.

Olhou para os restos estraçalhados da presa. Não sobrara muito para satisfazer a barriga de um gato faminto, mas a luta com Presa Amarela tinha aguçado ainda mais seu apetite; rendeu-se à fome e engoliu os restos. Estavam deliciosos. Lambeu os beiços, saboreando até o último pedaço, e sacudiu-se da cabeça às patas.

Presa Amarela o observava de perto, expondo os dentes manchados. – Melhor que a porcaria da ração com que os Duas-Pernas alimentam alguns dos nossos irmãos, não é? – miou, matreira. Sabendo de seu ponto fraco, tentava hostilizá-lo.

Pata de Fogo a ignorou e começou a se lavar.

– É veneno – Presa Amarela continuou. – Fezes de rato! Só um saco de pelo invertebrado aceitaria aquelas ovas de sapo repulsivas... – Parou de falar e ficou alerta. – Psssssiu... guerreiros chegando.

Pata de Fogo também percebeu a aproximação de gatos. Ouviu pisadas suaves sobre a camada de folhas e o som de pelo se arrastando pelos galhos. Farejou o vento que acariciava a pelagem dos felinos. Cheiros conhecidos. Eram guerreiros do Clã do Trovão, que, sentindo-se seguros em seu próprio território, não precisavam se importar com o barulho que fizessem.

Cheio de culpa, Pata de Fogo lambeu os lábios, esperando conseguir eliminar qualquer vestígio dos restos que acabara de engolir. Olhou então para Presa Amarela e para a pilha de ossos de coelho ao lado dela. "O clã precisa ser alimentado *em primeiro lugar*!" A voz de Coração de Leão buzinava na sua cabeça, mais uma vez. Mas, com certeza, ele compreenderia por que Pata de Fogo alimentara aquela famigerada criatura. Sua mente girava, subitamente amedrontada com o que poderia lhe acontecer. Na primeira tarefa de aprendiz havia quebrado o código dos guerreiros!

CAPÍTULO 8

Presa Amarela grunhiu desafiadoramente à aproximação das passadas, mas Pata de Fogo percebeu que ela estava apavorada. A gata mal conseguia ficar de pé. – Até logo. Obrigada pela refeição. – Tentou se afastar, mancando em três patas, mas então estremeceu de dor. – Aiii! Esta perna ficou dormente enquanto eu estava descansando.

Agora era tarde demais para correr. Sombras silenciosas saíam das árvores e, no espaço de uma batida de coração, a patrulha do Clã do Trovão tinha cercado Pata de Fogo e Presa Amarela. Pata de Fogo os reconheceu: Garra de Tigre, Risca de Carvão, Pele de Salgueiro e Estrela Azul, todos esbeltos e musculosos. Pata de Fogo farejou o medo que Presa Amarela sentiu ao ver o grupo.

Pata Cinzenta veio logo depois. Saiu de trás dos arbustos e parou ao lado da patrulha de guerreiros.

Pata de Fogo miou, num cumprimento apressado ao clã. Mas apenas Pata Cinzenta respondeu: – Olá, Pata de Fogo!

– Silêncio! – rugiu Garra de Tigre.

Pata de Fogo olhou para Presa Amarela e grunhiu por dentro; ainda sentia o cheiro de medo que a gata exalava, mas a imunda criatura, em vez de se curvar em submissão, tinha um olhar desafiador.

– Pata de Fogo? – a voz de Estrela Azul era fria e calculada. – O que temos aqui? Uma guerreira inimiga; e, considerando o cheiro de ambos, recém-alimentada. – Seus olhos queimavam na direção dele. Pata de Fogo abaixou a cabeça e começou a falar:

– Ela estava fraca e faminta...

– E você? A fome era tanta que precisava se alimentar antes de reunir presas para o clã? – Estrela Azul continuou. – Presumo que tenha uma razão *muito* boa para ter quebrado o código dos guerreiros.

Pata de Fogo não se iludiu com o tom suave da líder. Estrela Azul estava furiosa – e com razão. Ele se abaixou ainda mais.

Antes que ele pudesse dizer qualquer coisa, Garra de Tigre sibilou ruidosamente: – Uma vez gatinho de gente, sempre gatinho de gente!

Estrela Azul ignorou Garra de Tigre e olhou para Presa Amarela. De repente, mostrou-se surpresa. – Ora, ora, Pata de Fogo! Parece que você capturou uma gata do Clã das Sombras. E uma que conheço muito bem. Você é a curandeira do Clã das Sombras, não é? – miou, dirigindo-se a Presa Amarela. – O que estava fazendo tão longe, aqui no território do Clã do Trovão?

– Eu *era* a curandeira do Clã das Sombras. Agora, prefiro viajar sozinha – ciciou Presa Amarela.

Pata de Fogo ouviu, impressionado. Será que tinha escutado direito? Presa Amarela era uma guerreira do Clã das Sombras? Suja daquele jeito, deve ter mascarado o cheiro característico do seu território. Se soubesse, teria tido mais prazer em se engalfinhar com ela.

– Presa Amarela! Parece que você está em decadência, já que foi derrotada por um aprendiz – miou, zombeteiro, Garra de Tigre.

Foi a vez de Risca de Carvão falar. – Essa gata velha não tem serventia para nós. Vamos matá-la agora. Quanto ao *gatinho de gente*, ele quebrou o código dos guerreiros ao alimentar um inimigo. Deve ser punido.

– Guarde as garras, Risca de Carvão – Estrela Azul ronronou, calma. – Todos os clãs comentam a bravura e a sabedoria de Presa Amarela. Pode ser bom ouvir o que ela tem a dizer. Vamos levá-la para o acampamento e então decidir o que fazer com ela... e com Pata de Fogo. Você consegue andar? – perguntou a Presa Amarela. – Ou precisa de ajuda?

– Ainda tenho três pernas em bom estado – devolveu a gata acinzentada, mancando para a frente.

Pata de Fogo viu que os olhos de Presa Amarela estavam embaçados de dor, mas ela parecia determinada a não mostrar nenhuma fraqueza. Notou também o ar de respeito estampado no rosto de Estrela Azul, antes de a líder do Clã do Trovão se virar e iniciar a caminhada entre as árvores. Os outros guerreiros ladearam Presa Amarela e a patrulha seguiu, tendo o cuidado de manter o mesmo ritmo que a prisioneira manca.

Pata de Fogo e Pata Cinzenta caminhavam juntos atrás do grupo.

– *Você* já tinha ouvido falar de Presa Amarela? – Pata de Fogo cochichou para Pata Cinzenta.

– Alguma coisa. Parece que era uma guerreira antes de se tornar curandeira, o que não é comum. Mas não consigo imaginá-la como uma *isolada*. Ela passou a vida toda no Clã das Sombras.

– O que é um isolado?

Pata Cinzenta olhou para ele: – É um gato que não faz parte de um clã nem é cuidado por um Duas-Pernas. Garra de Tigre diz que são egoístas e que não se deve confiar neles. Costumam viver perto das casas dos Duas-Pernas, mas não pertencem a ninguém e caçam a própria comida.

– Talvez seja esse o meu fim, quando Estrela Azul acabar comigo – Pata de Fogo miou.

– Estrela Azul é muito justa – Pata Cinzenta garantiu. – Não vai expulsá-lo. Com certeza está satisfeita por ter como prisioneira uma gata tão importante do Clã das Sombras. Aposto que não vai criar caso por você ter alimentado aquele pobre saco de sarna.

– Mas ficam falando o tempo todo na escassez das presas. Ah! Por que fui comer aquele coelho? – Pata de Fogo sentiu a vergonha queimar-lhe o pelo.

– Bem, é verdade – Pata Cinzenta cutucou o amigo. – Isso foi mesmo coisa de miolo de camundongo. Nessa hora você realmente quebrou o código dos guerreiros, mas nenhum gato é perfeito!

Pata de Fogo não respondeu; fechou-se, com o coração pesado. Não imaginara que sua primeira tarefa sozinho terminaria dessa maneira.

Quando a patrulha passou pelas sentinelas que guardavam a entrada do acampamento, os demais gatos do Clã do Trovão vieram correndo saudar os guerreiros.

Rainhas, filhotes e anciãos se aboletaram nas laterais. Olhavam com curiosidade para Presa Amarela, conduzida pelo acampamento. Alguns dos anciãos reconheceram a velha gata. Logo se espalhou pelo clã que se tratava da curandeira do Clã das Sombras, e um murmúrio de escárnio se generalizou.

Presa Amarela parecia surda ao sarcasmo. Pata de Fogo não pôde deixar de admirar a dignidade com que ela mancava pelo corredor de olhares e insultos. Sabia que sentia muita dor e fome, apesar do coelho que lhe dera.

Quando a patrulha chegou à Pedra Grande, Estrela Azul apontou o chão batido em frente à rocha. Presa Amarela seguiu o comando silencioso da líder do Clã do Trovão, deitando-se, agradecida, na terra. Ainda ignorando os olhares hostis, começou a lamber a perna ferida.

Pata de Fogo percebeu que Folha Manchada saíra do seu canto. Talvez tivesse farejado a presença de um gato machucado no acampamento. Ele observou a multidão dar passagem à jovem gata atartarugada.

Presa Amarela olhou para Folha Manchada e desdenhou: – Sei como tomar conta das minhas feridas. Não preciso da sua ajuda.

Folha Manchada nada disse; apenas fez um sinal respeitoso com a cabeça e recuou.

Alguns felinos tinham estado fora, caçando, e presas frescas foram servidas aos guerreiros recém-chegados. Cada um pegou seu bocado e afastou-se para a área das urtigas para comer. Só depois os outros gatos do clã se adiantaram para pegar a sua parte.

Pata de Fogo, faminto, andava pela clareira observando os gatos agachados em seus grupos costumeiros, mastigando, devorando a comida. Estava louco por um pedaço, mas não ousava tirar nada da pilha. Havia quebrado o código dos guerreiros e imaginava que, por isso, estava proibido de pegar a sua cota de presa fresca.

Parou ao lado da Pedra Grande, onde Estrela Azul trocava palavras com Garra de Tigre. Em dúvida, Pata de Fogo olhou para a líder, esperando um sinal de permissão para comer. Mas a gata cinza e seu guerreiro experiente estavam muito ocupados, conversando em voz baixa. Pata de Fogo se perguntava se estariam falando dele. Desesperado para saber qual seria seu destino, esticou as orelhas para ouvir o que diziam.

O uivo de Garra de Tigre soou impaciente. – É perigoso demais trazer uma guerreira inimiga para o coração do Clã do Trovão! Agora que *ela* conhece o acampamento, até o menor filhote do Clã das Sombras vai ficar sabendo onde estamos. Teremos de nos mudar.

– Calma, Garra de Tigre – Estrela Azul ronronou. – Por que devemos nos mudar? Presa Amarela diz que vive como isolada agora. O Clã das Sombras não tem como saber.

– Você acredita mesmo nisso? O que esse gatinho de gente estava pensando da vida? – Garra de Tigre disparou.

– Pense um momento, Garra de Tigre – miou Estrela Azul. – Por que a curandeira do Clã das Sombras escolheria deixar o lar? Você parece ter medo que Presa Amarela vá dividir nossos segredos com o Clã das Sombras; mas já imaginou quantos segredos do Clã das Sombras ela pode dividir *conosco*?

Ao ver o pelo de Garra de Tigre abaixar-se, Pata de Fogo percebeu que as palavras de Estrela Azul faziam sentido. O guerreiro meneou a cabeça e saiu para pegar sua porção de presa fresca.

Estrela Azul ficou onde estava. Olhou a clareira, onde alguns dos jovens filhotes brincavam de lutar e rolar na terra. A líder levantou-se e começou a andar na direção de Pata de Fogo. O coração dele disparou. O que será que ela ia lhe dizer?

Mas Estrela Azul passou direto por ele. Nem sequer o olhou; os olhos da líder estavam nublados por pensamentos distantes. – Pele de Geada! – ela chamou, ao se aproximar do berçário.

Uma gata toda branca, com olhos azuis-escuros, surgiu das amoreiras. Dentro, o barulho dos miados aumentou.

– Silêncio, crianças – ronronou a gata branca, acalmando-as. – Não vou demorar. – Virou-se para a líder. – Sim, Estrela Azul. O que é?

– Um dos aprendizes viu uma raposa na área. Avise as outras rainhas para vigiarem o berçário com cuidado. E cuide para que todos os filhotes com menos de seis luas fiquem nos limites do acampamento até que nossos guerreiros a tenham expulsado.

Pele de Geada concordou. – Vou passar adiante o aviso, Estrela Azul. Obrigada. – Dizendo isso, esgueirou-se para dentro do berçário, para acalmar os bebês chorões.

Finalmente, Estrela Azul se dirigiu à pilha de presa fresca e pegou sua porção. Um roliço pombo torcaz fora deixado para ela. Pata de Fogo seguiu-a com o olhar ávido enquanto ela levava o pombo até onde estavam os guerreiros experientes.

A fome de Pata de Fogo fez, enfim, com que ele se mexesse. Pata Cinzenta estava com Pata Negra devorando um pequeno pintassilgo ao lado do toco de árvore. Ao ver Pata de Fogo se aproximar da pilha, dirigiu-lhe um sinal encorajador com a cabeça. Pata de Fogo inclinou o pescoço, pronto para agarrar com os dentes um rato-do-campo.

– Você, não – rosnou Garra de Tigre, andando pomposamente atrás dele e afastando o rato com a pata. – Você não trouxe nenhuma presa. Os anciãos vão comer a sua parte. Leve para eles.

Pata de Fogo olhou para Estrela Azul.

– Faça o que ele diz – a líder ordenou com um aceno seco.

Obediente, ele pegou o camundongo e o levou até Orelhinha. O cheiro delicioso subiu pelo nariz de Pata de Fogo, que só pensava em esmigalhar a presa com seus dentes fortes. Quase sentia a energia vital do camundongo inundando seu jovem corpo.

Com grande autocontrole, colocou a presa em frente ao gato cinza e então afastou-se, educadamente. Não esperava nenhum agradecimento e nenhum lhe foi oferecido.

Agora estava feliz por ter devorado os restos do coelho que apanhara para Presa Amarela. Nada mais teria para comer até voltar a caçar no dia seguinte.

Pata de Fogo andou no escuro até encontrar Pata Cinzenta. O amigo tinha comido até se fartar e estava deitado com Pata Negra do lado de fora da toca dos aprendizes. Estava esticado de lado, lambendo a pata dianteira num ritmo constante.

Pata Cinzenta viu Pata de Fogo se aproximar e parou de se lavar. – Estrela Azul já disse qual será o seu castigo? – perguntou.

– Ainda não – Pata de Fogo respondeu, desanimado.

Sem nada a dizer, Pata Cinzenta estreitou os olhos com simpatia.

Ouviu-se o chamado de Estrela Azul pela clareira. – Estou convocando todos os gatos com idade suficiente para pegar a própria presa para uma reunião do clã.

A maioria dos guerreiros tinha acabado de comer e, como Pata Cinzenta, estavam ocupados, se penteando. Ergueram-se graciosamente sobre as patas e foram até a Pedra Grande, onde Estrela Azul esperava pelo momento de falar.

– Vamos – miou Pata Cinzenta. Ele se levantou de um pulo. Pata Negra e Pata de Fogo o seguiram quando ele correu e abriu caminho à força para conseguir um bom lugar.

– Estou certa de que todos ouviram falar da prisioneira que trouxemos hoje – começou Estrela Azul. – Mas existe outra coisa que precisam saber. – Ela abaixou os olhos para a gata avermelhada, imóvel ao lado da Pedra Alta. – Você consegue me ouvir daí? – perguntou.

– Posso ser velha, mas ainda não estou surda – Presa Amarela disparou em resposta.

Estrela Azul ignorou o tom hostil da prisioneira e continuou. – Temo trazer algumas notícias preocupantes. Hoje percorri o território do Clã do Vento com uma patrulha. O ar estava impregnado com o odor do Clã das Sombras. Praticamente todas as árvores tinham sido marcadas com o cheiro de seus guerreiros. E não encontramos nenhum gato do Clã do Vento, embora tenhamos nos embrenhado no território deles.

As palavras foram recebidas com silêncio. Pata de Fogo percebeu que os gatos do clã estavam confusos.

– Você quer dizer que o Clã das Sombras os expulsou? – perguntou Orelhinha, em tom hesitante.

– Não podemos assegurar – miou Estrela Azul. – O fato é que o cheiro do Clã das Sombras estava em todo lugar. Encontramos sangue também, além de pelo. Deve ter havido uma batalha, embora não tenhamos encontrado corpos de nenhum dos dois clãs.

Um uivo de espanto elevou-se da multidão em uníssono. Pata de Fogo percebeu que os felinos à sua volta se retesavam, num misto de surpresa e fúria. Nunca antes um clã havia despejado o outro de suas zonas de caça.

– Como pôde o Clã do Vento ter sido expulso? – Caolha perguntou com sua voz fraca e baixa. – O Clã das Sombras é feroz, mas são muitos os guerreiros do Clã do Vento. Faz gerações que vivem nas terras altas. Por que foram expulsos agora? – Ansiosa, balançou a cabeça; os pelos do seu bigode tremiam.

– Não sei a resposta para nenhuma dessas perguntas – miou Estrela Azul. – É sabido que o Clã das Sombras há pouco elegeu um novo líder, depois da morte de Estrela Afiada. O novo líder, Estrela Partida, não fez nenhuma menção de ameaça quando o encontrei na última Assembleia.

– Talvez Presa Amarela saiba de alguma coisa – miou Risca de Carvão. – Afinal, ela pertence ao Clã das Sombras!

– Não sou traidora! Nada vai me fazer revelar os segredos do Clã das Sombras para um selvagem como você! – grunhiu Presa Amarela, olhando com agressividade para Risca de Carvão. O guerreiro do Clã do Trovão deu um passo à frente, com as orelhas abaixadas, olhos em fendas, pronto para uma briga.

– Parem! – gritou Estrela Azul.

Risca de Carvão imediatamente parou, embora Presa Amarela o fuzilasse com os olhos e com um uivo feroz.

– Já chega! – a líder gritou. – A situação é séria demais para ficarmos brigando entre nós. O Clã do Trovão precisa se preparar. A partir deste nascer da lua, os guerreiros vão caminhar em grupos maiores. Os outros membros do clã ficarão perto do acampamento. As patrulhas vigiarão as fronteiras com mais frequência e os filhotes não sairão do berçário.

Os gatos concordaram.

Estrela Azul continuou. – A necessidade de guerreiros é nosso maior obstáculo. Precisamos solucionar o problema acelerando o treinamento dos aprendizes. Precisam estar prontos o mais rápido possível para lutar pelo clã.

Pata de Fogo viu Pata de Poeira e Pata de Areia trocarem um olhar palpitante. Pata Cinzenta estava olhando para cima, para Estrela Azul, os olhos arregalados de empolgação. Pata Negra esfregava as patas, ansioso. Seus olhos bem abertos mostravam mais preocupação que animação.

Estrela Azul continuou. – Um jovem gato tem partilhado mentores com Pata Cinzenta e Pata Negra. Ensinando-o, vou acelerar o treinamento dos três aprendizes – Fez uma pausa e abaixou os olhos para os gatos do clã. – Vou fazer de Pata de Fogo meu aprendiz.

Pata de Fogo arregalou os olhos, impressionado. Estrela Azul ia ser sua mentora?

Ao lado dele, Pata Cinzenta engasgou, incapaz de esconder a surpresa. – Que honra! Já faz *luas* que Estrela Azul não tem um aprendiz. Normalmente ela treina apenas os filhotes de representantes!

Foi quando uma voz familiar elevou-se na frente da multidão. Era Garra de Tigre.

– Então Pata de Fogo vai ser premiado, não punido, por alimentar um guerreiro inimigo quando devia estar alimentando o próprio clã?

– Pata de Fogo agora é meu aprendiz. Pode deixar que lido com ele – respondeu Estrela Azul. A líder sustentou por um momento o olhar feroz de Garra de Tigre, antes de levantar a cabeça para se dirigir ao clã mais uma vez. – Presa Amarela está autorizada a ficar aqui até recuperar as forças. Somos guerreiros, não selvagens. Ela deve ser tratada com respeito e cortesia.

– Mas o clã não pode sustentar Presa Amarela – Risca de Carvão protestou. – Já temos bocas demais para alimentar.

– É isso mesmo! – Pata Cinzenta cochichou para Pata de Fogo. – E algumas bocas são maiores que as outras!

– Não preciso que ninguém cuide de mim! – disparou Presa Amarela. – E vou partir em dois quem tentar!

– Simpática, não é? – Pata Cinzenta murmurou.

Pata de Fogo sacudiu a cauda, concordando. Ouviram-se miados abafados dos outros guerreiros que, de má vontade, reconheciam o espírito de luta da guerreira inimiga.

Estrela Azul ignorou o burburinho. – Vamos matar duas presas de um golpe só, como se diz. Pata de Fogo, como punição por quebrar o código dos guerreiros, será sua responsabilidade tomar conta de Presa Amarela. Vai caçar para ela e cuidar de suas feridas. Buscará palha fresquinha para fazer sua cama e limpará suas fezes.

– Está bem, Estrela Azul – miou Pata de Fogo, abaixando a cabeça, submisso. *Limpar fezes!*, pensou. *Eca!*

Pata de Poeira e Pata de Areia miaram em tom de deboche. – Boa ideia!! – sibilou Pata de Poeira. – É bom que Pata de Fogo seja craque em matar pulgas!

– E em caçar! – acrescentou Pata de Areia. – Aquele saco de ossos vai precisar de comida.

– Basta! – Estrela Azul interrompeu a dupla. – Espero que Pata de Fogo não considere uma vergonha tomar conta de Presa Amarela. Ela é uma curandeira e mais velha do que ele. Essas razões já são suficientes para que ele a respeite. – A líder lançou um olhar agudo para Pata de Areia e Pata de Poeira. – Não é nada humilhante tomar conta de quem não pode cuidar de si. A reunião acabou aqui. Agora quero falar só com meus guerreiros antigos. – Dizendo isso, ela pulou da Pedra Grande e se dirigiu à sua toca.

Coração de Leão a seguiu. Os outros felinos do clã começaram a se distanciar da Pedra Grande. Um ou dois cumprimentaram Pata de Fogo por ter sido escolhido como aprendiz de Estrela Azul; outros, debochando, desejaram-lhe sorte nos cuidados com Presa Amarela. Pata de Fogo ficou tão atarantado com o anúncio da líder, que apenas balançava a cabeça.

Rabo Longo aproximou-se. Ainda estava visível o corte em forma de "V" que Pata de Fogo lhe fizera na ponta da orelha. O jovem guerreiro recolheu os bigodes num feio rosnado. – Espero que, da próxima vez, pense duas vezes antes de trazer gatos vadios para o acampamento – zombou. – Como eu disse, forasteiros *sempre* trazem problemas.

CAPÍTULO 9

– SE EU FOSSE VOCÊ, ia conversar com Presa Amarela – disse, baixinho, Pata Cinzenta quando Rabo Longo se afastou – Ela não parece muito contente.

Pata de Fogo olhou para a velha gata, ainda deitada ao lado da Pedra Grande. Pata Cinzenta estava certo; ela o fitava.

– Está bem, lá vou eu – ele miou. – Deseje-me sorte!

– Dessa vez, você vai precisar de toda a sorte do Clã das Estrelas a seu favor – respondeu Pata Cinzenta. – Chame se precisar de ajuda. Se achar que ela vai pegá-lo, vou devagarzinho por trás e acerto a cabeça dela com um coelho morto.

Pata de Fogo ronronou, divertido, e foi em direção a Presa Amarela. Sua animação logo desapareceu, à medida que se aproximava da rainha ferida.

Ela estava claramente de péssimo humor. Sibilou uma advertência, mostrando os dentes: – Pare aí mesmo, *gatinho de gente*!

Pata de Fogo suspirou. Parecia que estava para entrar numa luta. Ainda tinha fome e começava a se sentir cansado. Estava louco para se enroscar no ninho e tirar um cochilo. A última coisa que queria era discutir com aquele chumaço de pelo e dentes digno de pena. – Pode me chamar do que quiser – ele miou, impaciente. – Estou apenas seguindo as ordens de Estrela Azul.

– Então você *é* mesmo um gatinho de gente, não é? – disse, ofegante, Presa Amarela.

Ela também está cansada, pensou Pata de Fogo. A voz da gata tinha menos força, embora a ironia estivesse mais forte do que nunca.

– Eu vivia com uns Duas-Pernas quando era filhote – Pata de Fogo respondeu calmamente.

– Sua mãe era gatinho de gente? Seu pai era gatinho de gente?

– Eram, sim. – Pata de Fogo abaixou a cabeça, o ressentimento o queimando por dentro. Já era ruim os membros do seu próprio clã ainda o considerarem um forasteiro. Com certeza não devia satisfações àquela prisioneira mal-humorada.

Presa Amarela pareceu tomar o seu silêncio como um convite para continuar. – Sangue de gatinho de gente não é a mesma coisa que sangue de guerreiro. Por que não corre para a casa dos seus Duas-Pernas agora em vez de ficar me pajeando? É humilhante ser cuidada por um gato de baixa estirpe como *você*!

Pata de Fogo perdeu a paciência e grunhiu: – Você se sentiria humilhada mesmo que eu *tivesse nascido* guerreiro. Ficaria envergonhada quer eu fosse uma preciosa gata do seu próprio clã, quer um miserável Duas-Pernas que a tivesse apanhado na rua. – Pata de Fogo fez a cauda chicotear de um lado para outro. – O que, na verdade, você acha tão humilhante é o fato de precisar se entregar aos cuidados de *qualquer* gato!

Presa Amarela arregalou os olhos cor de laranja.

Pata de Fogo continuou, feroz: – Vai ter de se acostumar com a ideia de alguém cuidar de você até estar bem suficiente para tomar conta de si mesma, seu saco de ossos velho e desprezível!

Ele parou quando Presa Amarela começou a fazer um ruído baixo e estranho, como se estivesse com falta de ar.

Alarmado, Pata de Fogo deu um passo na direção da gata. Ela tremia, com os olhos estreitados em pequeníssimas fendas. Estaria tendo algum tipo de ataque?

– Olhe, eu não quis... – ele começou, até de repente se dar conta de que Presa Amarela estava *rindo*!

– Miau, miau, miau – ela fazia, com um rom-rom vindo de dentro do peito.

Pata de Fogo não sabia o que fazer.

– Você é espirituoso, gatinho de gente – Presa Amarela provocou, parando afinal. – Agora estou cansada e minha perna dói. Preciso dormir e colocar alguma coisa nessa ferida. Vá procurar aquela curandeira bonitinha de vocês e peça para ela me arrumar algumas ervas. Se conseguir um cataplasma de virgáurea vai ajudar. E, enquanto estiver providenciando isso, eu ia adorar ficar mascando umas sementes de papoula. Essa dor está me matando!

Impressionado com a súbita mudança de humor da gata, Pata de Fogo virou-se rapidamente e disparou na direção da toca de Folha Manchada.

Nunca estivera naquela parte do acampamento. Com as orelhas retesadas, atravessou um túnel verde e fresco de samambaias, que levava a uma pequena clareira gramada. De um lado havia uma pedra alta, dividida ao meio por uma fenda grande bastante para um gato fazer ali a sua toca. Na clareira estava Folha Manchada. Como sempre, seus olhos brilhavam, amigáveis, e sua pelagem malhada luzia com centenas de sombras cor de âmbar e marrons.

Pata de Fogo a cumprimentou timidamente com um miado e apresentou o rol de ervas e sementes pedidas por Presa Amarela.

– Tenho a maioria delas na minha toca – respondeu Folha Manchada. – Vou pegar também algumas folhas de cravo-de-defunto. Se ela colocar isso na ferida, vai afastar qualquer infecção. Espere aqui.

– Obrigado – miou Pata de Fogo enquanto a curandeira sumia para dentro da toca. Ele estreitou os olhos, tentando vislumbrá-la no interior do refúgio. Mas a toca estava escura demais; só conseguiu ouvir um farfalhar e sentir os cheiros estonteantes de ervas estranhas.

Folha Manchada surgiu da escuridão e colocou um pacote dobrado em folhas aos pés de Pata de Fogo. – Diga a Presa Amarela para não exagerar com a semente de papoula. Não quero que fique totalmente sem dor. Um pouco de dor pode ser útil, pois vai me mostrar se ela está melhorando.

Pata de Fogo indicou ter entendido e apanhou as ervas com os dentes. – Obrigado, Folha Manchada! – miou, segurando o pacote e retomando o túnel de samambaias até a clareira principal.

Garra de Tigre estava sentado do lado de fora da toca dos guerreiros, observando-o atentamente. Quando Pata de Fogo se dirigia até Presa Amarela, carregando as ervas, sentiu o olhar cor de âmbar queimando-lhe o pelo do cangote. Virou a cabeça e, curioso, fitou Garra de Tigre, que estreitou os olhos e virou o rosto.

Pata de Fogo deixou cair o maço de ervas ao lado de Presa Amarela.

– Ótimo – miou. – Agora, antes de me deixar em paz, me arrume alguma coisa para comer. Estou faminta!

O sol tinha se levantado três vezes desde que Presa Amarela chegara ao acampamento. Pata de Fogo acordou cedo e cutucou Pata Cinzenta, que ainda dormia a seu lado, com o nariz enfiado debaixo da cauda espessa. – Acorde – Pata de Fogo miou. – Vai acabar se atrasando para o treinamento.

Pata Cinzenta ergueu a cabeça, ainda sonolento, e assentiu com um grunhido relutante.

Pata de Fogo cutucou Pata Negra.

O gato abriu os olhos imediatamente e deu um pulo. – O que é? – miou, olhando à volta, alerta.

– Calma, Pata Negra. Está quase na hora do treinamento – Pata de Fogo o tranquilizou.

Pata de Poeira e Pata de Areia também começaram a se mexer em seus ninhos de musgo, do outro lado do refúgio. Pata de Fogo se levantou e abriu caminho entre as samambaias.

A manhã estava quente. Por entre as folhas e galhos que se debruçavam sobre o acampamento, Pata de Fogo avistou o céu de um azul profundo. Mas hoje um orvalho pesado fazia brilhar as folhas de samambaias e cintilava na grama. Pata de Fogo farejou o ar. A estação das folhas verdes estava acabando, e logo o tempo ia começar a esfriar.

Ele deitou e rolou na terra ao lado do toco de árvore, esticando as pernas e virando a cabeça para trás para esfregá-la no chão fresco. Então se virou de lado e olhou através da clareira, para ver se Presa Amarela já estava acordada.

Fora destinado à gata um lugar de descanso no extremo da árvore caída onde os anciãos se reuniam para comer. O ninho tinha sido arrumado no tronco cheio de musgo, de onde não se podiam escutar os anciãos, mas com vista total para a toca dos guerreiros do outro lado da clareira. Pata de Fogo viu apenas um monte de pelo cinza desbotado se levantar e logo cair para tirar uma soneca.

Pata Cinzenta saiu da toca atrás do amigo, seguido por Pata de Areia e Pata de Poeira. Finalmente chegou Pata Negra, examinando nervosamente o lugar antes de sair totalmente do abrigo.

– Mais um dia tomando conta daquele saco sarnento cheio de pulgas, hein, Pata de Fogo? – miou Pata de Poeira. – Aposto que preferia estar conosco no treinamento.

Pata de Fogo levantou-se e sacudiu o pó do pelo. Não ia ceder à provocação de Pata de Poeira.

– Não ligue, Pata de Fogo – murmurou Pata Cinzenta. – Em breve Estrela Azul vai mandá-lo de volta para o treinamento.

– Talvez ela pense que é melhor um gatinho de gente ficar no acampamento, cuidando dos doentes – miou, grosseira, Pata de Areia, agitando a cabeça lustrosa e avermelhada, com um olhar de deboche.

Pata de Fogo resolveu ignorar os comentários ásperos da gata. – O que Nevasca vai lhe ensinar hoje, Pata de Areia? – perguntou.

– Vamos treinar combate. Ele vai me ensinar como luta um guerreiro de verdade – Pata de Areia respondeu com orgulho.

– Coração de Leão vai me levar até o Grande Plátano – miou Pata Cinzenta –, para eu praticar as habilidades de escalada. É melhor eu ir. Ele está esperando.

– Vou com você até o alto da ravina – miou Pata de Fogo. – Preciso pegar o café da manhã de Presa Amarela. Você vem, Pata Negra? Garra de Tigre deve ter alguma coisa planejada para você.

Pata Negra suspirou, concordou e seguiu Pata Cinzenta e Pata de Fogo para fora do acampamento. Embora a ferida estivesse completamente curada, ele ainda parecia ter pouco entusiasmo pelo treinamento.

– Aqui está – miou Pata de Fogo, largando um grande camundongo e um pintassilgo no chão, ao lado de Presa Amarela.

– Já estava na hora – ela grunhiu. A gata ainda estava dormindo quando Pata de Fogo chegou ao acampamento depois da missão de caça. Mas o cheiro de presa fresca deve tê-la despertado, pois agora já estava sentada.

Ela abaixou a cabeça e, com avidez, engoliu o que Pata de Fogo trouxera. O apetite se mostrava voraz à medida que a força voltava. A ferida estava melhor, mas o temperamento continuava feroz e imprevisível como sempre.

Presa Amarela acabou a refeição e reclamou: – A base da minha cauda coça muito, mas não consigo alcançá-la. Dá para você lavar para mim?

Tremendo por dentro, Pata de Fogo agachou e iniciou a função.

Enquanto explodia as pulgas gordinhas entre os dentes, percebeu um grupo de filhotes brincando na terra ali perto. Fingiam estar lutando, às vezes com violência. Presa Amarela, que tinha fechado os olhos enquanto Pata de Fogo cuidava dela, abriu parcialmente um deles para observar os filhotes se divertindo. Para sua surpresa, Pata de Fogo percebeu a espinha da gata se retesar sob seus dentes.

Por um instante, ele prestou atenção aos gritinhos e barulhos dos filhotes.

– Sinta meus dentes, Estrela Partida – miou um filhote malhado, que pulou nas costas de um outro, cinza e branco, que fingia ser o líder do Clã das Sombras. Os dois pequenos rolaram na direção da Pedra Grande. De repente, o filhote cinza e branco deu um grande impulso e conseguiu soltar o malhado das costas. Com um guincho assustado, o malhado foi parar ao lado de Presa Amarela.

Imediatamente a velha gata se pôs de pé num pulo, com a pelagem toda arrepiada, e disparou, agressiva: – Fique longe de mim, seu pedaço de pelo!

O filhote malhado olhou para a gata furiosa, virou-lhe a cauda e correu. Foi esconder-se atrás de uma rainha também malhada, que, zangada, encarava Presa Amarela do outro lado da clareira.

Já o pequeno gato cinza e branco congelou. Então, pata a pata, com cuidado, retrocedeu na direção da segurança do berçário.

A reação de Presa Amarela deixou Pata de Fogo chocado. Achava que já tinha visto o pior dela ao lutarem quando se conheceram, mas os olhos da gata chispavam com uma raiva diferente agora. – Acho que está sendo difícil para os filhotes ficarem confinados no acampamento – miou, cauteloso. – Estão ficando inquietos.

– Azar o deles – grunhiu Presa Amarela. – Dê um jeito de mantê-los longe de mim!

– Você não gosta de filhotes? – Pata de Fogo perguntou, quase sem querer. – Nunca teve filhos?

– Você não sabe que curandeiras não têm filhos? – miou, raivosa, Presa Amarela.

– Mas soube que antes você era uma guerreira – Pata de Fogo arriscou.

– Não tenho nenhum filho! – Presa Amarela disparou. Afastou dele a cauda e se levantou. – De qualquer forma – disse em tom repentinamente mais baixo, quase triste –, parece que acontecem acidentes com as crianças quando estou por perto.

Os olhos cor de laranja nublaram de emoção. Ela apoiou o queixo achatado nas patas dianteiras e deixou o olhar se perder. Pata de Fogo observou os ombros da gata afundarem num suspiro longo e silencioso.

Pata de Fogo a observou, intrigado. O que ela queria dizer com aquilo? Será que a velha gata estava falando sério? Era difícil dizer; Presa Amarela parecia mudar de humor rapidamente. Ele deu de ombros e continuou a penteá-la.

– Ficaram alguns carrapatos que não consegui tirar – ele disse, ao terminar.

– Aposto que você nem tentou, seu idiota! – reclamou Presa Amarela. – Não quero cabeças de carrapato no meu traseiro, muito obrigada. Peça a Folha Manchada um pouco de bile de rato para esfregar nelas. Uma borrifada disso nos carrapatos e eles logo se soltam.

– Vou agora mesmo! – Pata de Fogo se ofereceu, feliz pela oportunidade de se afastar um pouco da gata rabugenta. E não seria nenhum sacrifício voltar a ver Folha Manchada.

Dirigiu-se ao túnel de samambaias. Viu muitos gatos cruzando a clareira, carregando nos dentes ramos e galhos de árvores. Enquanto estivera tratando de Presa Amarela, o acampamento se enchera de atividade. Era assim desde o dia em que Estrela Azul anunciara o desaparecimento do Clã do Vento. As rainhas teciam galhos e folhas para formar uma espessa parede verde ao redor do berçário, de modo a assegurar que a passagem estreita fosse a única maneira de entrar e sair da região das amoreiras. Outros gatos trabalhavam nos limites do acampamento, cuidando para não deixar nenhum espaço livre na vegetação cerrada.

Até os anciãos estavam ocupados, cavando um buraco no chão. Os guerreiros em fila empilhavam ao lado deles pedaços de presa fresca para serem guardados dentro do buraco recém-cavado. Pairava no ar um espírito de concentração tranquila, uma determinação de tornar o clã o mais seguro e abastecido possível.

Se o Clã das Sombras tentasse invadir seu território, o Clã do Trovão teria o acampamento como refúgio. Não seriam deslocados de suas zonas de caça tão facilmente quanto fora o Clã do Vento.

Risca de Carvão, Rabo Longo, Pele de Salgueiro e Pata de Poeira esperavam em silêncio na entrada do acampamento, com os olhos fixos na abertura do túnel de tojos. Uma patrulha acabara de chegar, todos empoeirados e com as patas doídas. Assim que os guerreiros entraram no acampamento, Risca de Carvão e seus companheiros se aproximaram e trocaram palavras com eles. Mas logo se afastaram. Então saíram rápida e sorrateiramente do acampamento. As fronteiras do Clã do Trovão não ficavam nem um minuto sem proteção.

Pata de Fogo desceu na direção do túnel de samambaias que levava à toca de Folha Manchada. Ao entrar na clareira, viu que a gata estava preparando algumas ervas que recendiam um cheiro doce.

– Você pode me conseguir um pouco de bile de rato para os carrapatos de Presa Amarela? – Pata de Fogo miou.

– Num instante – respondeu Folha Manchada, juntando dois punhados de ervas e misturando a pilha aromática com uma das garras delicadamente estendida.

– Está ocupada? – perguntou Pata de Fogo, ajeitando-se em um pedaço de terra aquecido.

– Quero estar preparada para qualquer eventualidade – murmurou a curandeira, fitando-o com seus olhos claros cor de âmbar. Por um instante, Pata de Fogo sustentou o olhar, que depois desviou, sentindo no pelo um certo desconforto. Folha Manchada voltou a prestar atenção nas ervas.

Pata de Fogo esperou, feliz por estar ali calmamente sentado, observando-a trabalhar.

– Pronto – miou, afinal. – O que você queria mesmo? Bile de rato?

– É, por favor. – Pata de Fogo ficou de pé e esticou as patas traseiras, uma de cada vez. Seu pelo estava quente do sol, que o tinha deixado sonolento.

Folha Manchada entrou na toca e trouxe alguma coisa lá de dentro, que carregava cuidadosamente na boca. Era um chumaço de musgo pendurado em um estreito pedaço de casca de árvore. Ela o entregou a Pata de Fogo. O aprendiz sentiu seu hálito morno e doce ao pegar entre os dentes a tira de casca de árvore.

– O musgo está empapado em bile – explicou Folha Manchada. – Não deixe entrar na boca; ficaria com um gosto horrível por dias a fio. Pressione o musgo nos carrapatos e depois lave bem as patas – num riacho, não com a língua!

Pata de Fogo agradeceu e voltou até onde estava Presa Amarela, sentindo-se, de repente, alegre e cheio de energia.

– Fique quieta! – ele miou para a velha gata. Com cuidado, usava as patas dianteiras para pressionar o musgo em cada carrapato.

Quando Pata de Fogo acabou o serviço, Presa Amarela miou: – Você podia aproveitar e limpar minhas fezes, agora que suas patas já estão fedendo mesmo! Vou tirar um cochilo – bocejou, revelando os dentes escurecidos e quebrados. O calor do dia também a deixara sonolenta. – Depois, pode ir e fazer essas coisas que vocês, aprendizes, fazem – murmurou.

Pata de Fogo limpou as fezes de Presa Amarela, deixou-a dormindo e foi na direção do túnel de tojo. Estava ansioso para chegar ao riacho e enxaguar as patas.

– Pata de Fogo! – uma voz o chamou do lado da clareira.

O aprendiz se virou. Era Meio Rabo.

– Aonde você está indo? – miou o velho gato, curioso. – Devia estar ajudando nos preparativos.

– Acabei de colocar bile de rato nos carrapatos de Presa Amarela – respondeu.

Os bigodes de Meio Rabo se mexeram, divertidos. – Corra então até o riacho mais próximo! Trate de voltar com alguma presa fresca. Precisamos de tudo o que pudermos encontrar.

– Certo, Meio Rabo!

Pata de Fogo saiu do acampamento em direção à ravina. Desceu a margem do riacho onde ele e Pata Cinzenta tinham caçado no dia em que encontrara Presa Amarela. Sem hesitar, pulou na água limpa e fria, que o cobriu até os quadris e molhou o pelo da sua barriga, fazendo-o arfar e tiritar.

Um ruído nos arbustos chamou-lhe a atenção, embora o cheiro conhecido que lhe chegava ao nariz anunciasse que não havia motivo para alarme.

– O que está fazendo aí? – Pata Cinzenta e Pata Negra o olhavam, como se o amigo estivesse louco.

– Nem queiram saber! – Pata de Fogo respondeu com uma careta. – Bile de rato! Onde estão Coração de Leão e Garra de Tigre?

– Foram juntar-se à patrulha mais próxima – respondeu Pata Cinzenta – e nos mandaram passar o resto da tarde caçando.

– Meio Rabo me disse a mesma coisa – Pata de Fogo miou, encolhendo-se ao sentir nas patas uma corrente de água gelada. – Todos estão ocupados no acampamento. Até parece que vamos ser atacados a qualquer instante. – Pingando, subiu para a margem.

– Quem diz que não vamos ser atacados? – miou Pata Negra, olhando de um lado para o outro, como se uma patrulha inimiga fosse pular dos arbustos de repente.

Pata de Fogo olhou para o monte de presas frescas empilhadas ao lado dos dois aprendizes. – Parece que vocês se deram bem hoje – miou.

– É verdade – disse Pata Cinzenta, orgulhoso. – E ainda temos o resto da tarde para caçar. Quer ir também?

– Claro que sim! – Pata de Fogo ronronou. Deu uma última sacudida e seguiu os amigos pela vegetação.

Pata de Fogo notou que os gatos no acampamento ficaram impressionados com a quantidade de presas que os três aprendizes haviam conseguido apanhar na caçada da tarde. Foram saudados com caudas erguidas e focinhadas amigáveis. Tiveram de fazer quatro viagens para levar o resultado da caça ao depósito cavado pelos anciãos.

Coração de Leão e Garra de Tigre tinham acabado de voltar com a patrulha quando os aprendizes carregavam o último fardo para o acampamento.

– Muito bem, garotos – miou Coração de Leão. – Soube que andaram ocupados. O depósito está quase cheio. Podem colocar esse último lote na pilha de presas frescas para esta noite. E levem algumas para sua toca. Vocês merecem um banquete!

Os três aprendizes balançaram as caudas, contentes.

– Espero que não esteja deixando Presa Amarela de lado, com toda essa caça, Pata de Fogo – Garra de Tigre advertiu.

Pata de Fogo sacudiu a cabeça, impaciente, louco para ir embora. Estava faminto. Dessa vez, obedecera ao código dos guerreiros e não comera nem sequer um naco ao caçar para o clã. Nem ele nem os companheiros.

Afastaram-se e colocaram a última presa na pilha formada no centro da clareira. Cada um deles pegou uma porção e levou para o tronco de árvore. A toca estava vazia.

– Onde estão Pata de Poeira e Pata de Areia? – perguntou Pata Negra.

– Devem estar ainda em patrulha – Pata de Fogo sugeriu.

– Ótimo. Paz e sossego – miou Pata Cinzenta.

Comeram até se fartar e se recostaram para se lavar. O ar fresco da tarde era bem-vindo depois do calor que fizera.

De repente, Pata Cinzenta miou: – Ei! Adivinhe! Pata Negra conseguiu arrancar um elogio do velho Garra de Tigre esta manhã!

– É mesmo? – Pata de Fogo se espantou. – O que você fez para agradar Garra de Tigre? Voou?

– Bem – começou Pata Negra todo sem jeito, mirando as patas. – Peguei um corvo.

– Como conseguiu? – Pata de Fogo miou, impressionado.

– Era um corvo velho – Pata Negra admitiu modestamente.

– Mas era enorme – acrescentou Pata Cinzenta. – Até Garra de Tigre teve de se render! Ele andava de muito mau humor desde que Estrela Azul tomou você como aprendiz. – Pensativo, lambeu a pata por um momento. – Espere aí... Na verdade, ele está assim desde que Coração de Leão foi escolhido como representante.

– Ele só está preocupado com o Clã das Sombras e as patrulhas extras – Pata Negra se apressou a explicar. – Você devia evitar aborrecê-lo.

A conversa foi interrompida por um grito do outro lado da clareira.

– Ah, não! – grunhiu Pata de Fogo, pondo-se de pé. – Esqueci de levar a comida de Presa Amarela!

– Fique aqui – miou Pata Cinzenta, dando um pulo. – Eu levo alguma coisa para ela.

– Não, é melhor eu ir – Pata de Fogo protestou. – O castigo é meu, não seu.

– Ninguém vai perceber – argumentou Pata Cinzenta. – Todo o mundo está ocupado, comendo. Você me conhece: quieto como um camundongo, rápido como um peixe. Espere aqui.

Pata de Fogo voltou a sentar, incapaz de esconder o alívio. Observou o amigo se afastar do tronco de árvore até a pilha de presa fresca.

Como se cumprisse ordens, Pata Cinzenta, confiante, escolheu dois dos camundongos mais apetitosos. Rapidamente começou a atravessar a clareira na direção de Presa Amarela.

– Pare, Pata Cinzenta! – Um rosnado alto se ouviu da entrada da toca dos guerreiros. Garra de Tigre foi até o aprendiz e perguntou: – Aonde você está levando esses camundongos?

Com um frio na barriga, Pata de Fogo observava, desolado, do tronco de árvore. Ao lado dele, Pata Negra parou no meio de uma mordida e encolheu-se sobre a comida, com os olhos mais arregalados do que nunca.

– Umm... – Pata Cinzenta soltou os camundongos e trançou as patas, sem graça.

– Você não está ajudando o jovem Pata de Fogo levando comida para aquela traidora insaciável, está?

Pata de Fogo viu o amigo examinar as patas por um instante. Finalmente, o aprendiz respondeu: – Eu, é... estava apenas com fome. Ia levar os camundongos para comer sozinho. Se aqueles dois vissem – olhou para Pata de Fogo e Pata Negra –, iam me deixar só com ossos e pelo.

– *É mesmo*? – miou Garra de Tigre. – Se está com tanta fome, pode muito bem comer esses camundongos aqui e agora!

– Mas... – Pata Cinzenta começou a falar, olhando assustado para o guerreiro.

– Agora! – rugiu Garra de Tigre.

O aprendiz rapidamente abaixou a cabeça e começou a comer os camundongos. Devorou o primeiro com algumas mordidas e o engoliu rapidamente. Demorou um pouco mais para comer o segundo. Pata de Fogo achou que o amigo nunca ia conseguir botar o camundongo para dentro, e seu próprio estômago se apertava em solidariedade; finalmente, com dificuldade, Pata Cinzenta engoliu, e o último pedaço desapareceu.

– Está melhor agora? – perguntou Garra de Tigre, com a voz macia e um certo deboche.

– Muito – respondeu Pata Cinzenta com um arroto.

– Muito bem – disse Garra de Tigre, voltando à sua toca.

Pata Cinzenta, sem graça, foi até onde estavam os amigos.

– Obrigado, Pata Cinzenta – agradeceu Pata de Fogo, passando o focinho no pelo macio do companheiro. – Você pensou rápido.

O rugido de Presa Amarela ecoou mais uma vez. Pata de Fogo suspirou e pôs-se nas quatro patas. Ia deixar para ela comida bastante para a noite toda. Queria voltar cedo para casa. Tinha a barriga cheia e os pés cansados.

– Tudo bem, Pata Cinzenta? – perguntou ao se virar para sair.

– Miau, miau – reclamou o gato, encolhido, tremendo de dor. – Comi demais!

– Vá ver Folha Manchada – Pata de Fogo sugeriu. – Com certeza ela dará um jeito nisso.

– Espero que sim – miou Pata Cinzenta, afastando-se lentamente.

Pata de Fogo queria observar o amigo partir, mas outro grito zangado de Presa Amarela o fez sair correndo pela clareira.

CAPÍTULO 10

NA MANHÃ SEGUINTE, uma garoa fina encharcou a copa das árvores e escorreu pelo acampamento.

Pata de Fogo acordou com a sensação de estar molhado. Tinha sido uma noite desconfortável. Levantou-se e sacudiu-se com força, afofando a pelagem. Saiu da toca dos aprendizes e atravessou a clareira na direção do ninho de Presa Amarela.

A gata estava agitada. Levantou a cabeça e olhou para o visitante com os olhos semicerrados. – Meus ossos estão doendo esta manhã. Choveu a noite toda?

– Desde que passou a lua alta – Pata de Fogo respondeu. Aproximou-se e, cauteloso, tocou o ninho de musgo. – Sua cama está encharcada. Por que não fica mais perto do berçário? Ali é mais protegido.

– O quê? E ficar acordada a noite toda com aqueles filhotes miando? Prefiro ficar molhada! – grunhiu Presa Amarela.

Pata de Fogo observou-a dar voltas, resoluta, sobre a cama de musgo. – Ao menos deixe-me arranjar uma cama seca para você – ele ofereceu, disposto a não falar a respeito de filhotes, já que o assunto incomodava tanto a velha gata.

– Obrigada, Pata de Fogo – respondeu Presa Amarela baixinho, voltando a se acomodar.

Pata de Fogo ficou espantado, a se perguntar se a gata estava se sentindo bem. Era a primeira vez que lhe agradecia por alguma coisa e que não o chamava de *gatinho de gente*.

– Ora, não fique aí sentado como um esquilo assustado; vá apanhar mais musgo – ela disparou.

Os bigodes de Pata de Fogo se mexeram, divertidos. Aquela era a Presa Amarela que ele conhecia. Fez que sim com a cabeça e saiu depressa.

Quase trombou com Cauda Sarapintada no meio da clareira. Era a rainha que, na véspera, tinha observado a explosão raivosa de Presa Amarela com o filhote malhado.

– Desculpe, Cauda Sarapintada! – Pata de Fogo miou. – Você está indo ver Presa Amarela?

– O que eu ia querer com *aquela* criatura esquisita? – replicou a gata, rudemente. – Na verdade, estava procurando você. Estrela Azul quer vê-lo.

Pata de Fogo correu na direção da Pedra Grande e da toca da líder.

Estrela Azul estava sentada do lado de fora, balançando a cabeça cadenciadamente, enquanto lambia a pelagem cinza abaixo da garganta. Parou quando percebeu a chegada do aprendiz. – Como está Presa Amarela hoje? – miou.

– Sua cama está encharcada; então estava indo buscar mais musgo – respondeu Pata de Fogo.

– Vou pedir a alguma das rainhas para providenciar – Estrela Azul lambeu o peito mais uma vez e então olhou atentamente para Pata de Fogo. – Ela já está bem para conseguir caçar a própria comida? – perguntou.

– Acho que não – miou Pata de Fogo –, mas já está caminhando bem.

– Compreendo – miou Estrela Azul, que pareceu pensativa por um instante. – Já é tempo de voltar ao treinamento, Pata de Fogo. Mas você vai precisar trabalhar duro para recuperar o tempo que perdeu.

– Ótimo! Quero dizer, muito obrigado, Estrela Azul! – o aprendiz gaguejou.

– Você vai sair com Garra de Tigre, Pata Cinzenta e Pata Negra esta manhã – continuou a líder. – Pedi a Garra de Tigre para avaliar as habilidades de guerreiro de todos os nossos aprendizes. Não se preocupe com Presa Amarela; vou assegurar que alguém cuide dela enquanto estiver fora.

Pata de Fogo fez que sim com a cabeça.

– Agora, junte-se a seus companheiros – ordenou Estrela Azul. – Imagino que o estejam esperando.

– Obrigado, Estrela Azul – miou o aprendiz. E, com um movimento de cauda, disparou na direção de sua toca.

Estrela Azul estava certa; Pata Cinzenta e Pata Negra o esperavam no toco de árvore favorito. Pata Cinzenta, tenso e desconfortável, tinha a pelagem longa pesada por causa da umidade do ar. Pata Negra andava de um lado para o outro perto do toco de árvore, perdido em seus pensamentos, mexendo a ponta branca da cauda.

– Então hoje você vai conosco! – disse Pata Cinzenta ao ver o amigo chegar. – Que dia, hein? – Sacudiu-se com força para se livrar da água da chuva.

– É verdade. Estrela Azul me disse que Garra de Tigre vai nos avaliar hoje. Pata de Areia e Pata de Poeira também vão conosco?

– Nevasca e Risca de Carvão levaram os dois na patrulha dos guerreiros. Acho que Garra de Tigre vai cuidar deles depois – respondeu Pata Cinzenta.

– Vamos, está na hora! – apressou Pata Negra, que parara de marchar e agora esperava ao lado dos amigos, ansioso.

– Por mim, tudo bem – miou Pata Cinzenta. – Espero que o exercício me aqueça um pouco.

Os três gatos saíram do acampamento pela trilha de tojo e correram até o vale de areia. Como Garra de Tigre não havia chegado ainda, ficaram ao abrigo de um pinheiro, com o pelo arrepiado de frio.

– Está preocupado com a avaliação? – Pata de Fogo perguntou a Pata Negra ao ver o amigo caminhando para a frente e para trás, com passos rápidos e nervosos. – Não precisa. Afinal, você é aprendiz de Garra de Tigre. Quando ele fizer o relatório para Estrela Azul, vai querer dizer como você é bom.

– Com Garra de Tigre, nunca se sabe – miou Pata Negra, sem parar de se mexer.

– Por misericórdia, sente-se – reclamou Pata Cinzenta. – Desse jeito, você estará exausto antes mesmo de começarmos.

Quando Garra de Tigre chegou, o céu tinha mudado. As nuvens pareciam menos com uma pelagem espessa e cinza e mais com as bolas de pelo fofo e branco que as rainhas costumavam colocar nos ninhos dos recém-nascidos. Os céus azuis não estavam longe, mas a brisa que trouxera nuvens mais leves transportava um friozinho novo.

Pata de Tigre cumprimentou rapidamente os aprendizes e foi direto para os detalhes do exercício: – Coração de Leão e eu passamos as últimas semanas tentando ensinar vocês a caçar de modo apropriado. Hoje vão ter a oportunidade de mostrar quanto aprenderam. Cada um vai pegar uma rota diferente e caçar o máximo de presas possível. Tudo o que pegarem será levado para o estoque no acampamento.

Os três aprendizes se entreolharam, nervosos e empolgados. Pata de Fogo sentiu o coração bater mais rápido com a perspectiva do desafio.

– Pata Negra, você vai seguir a trilha além do Grande Plátano, chegando até as Rochas das Cobras. Isso será fácil até mesmo para suas poucas habilidades. Você, Pata Cinzenta – continuou Garra de Tigre –, vai pegar a rota ao longo do riacho, indo até o Caminho do Trovão.

– Ótimo – miou Pata Cinzenta. – Patas molhadas para mim! – O olhar de Garra de Tigre o calou.

– E, finalmente, você, Pata de Fogo. Uma pena sua grande mentora não estar aqui hoje para testemunhar sua atuação. Você vai pegar a rota que atravessa os Pinheiros Altos, passando pelas Árvores Cortadas, até a floresta.

Pata de Fogo concordou, traçando freneticamente a rota na cabeça.

– E lembrem: – terminou Garra de Tigre, encarando-os firmemente com seu olhar sem brilho – Estarei de olho em todos vocês.

Pata Negra foi o primeiro a sair correndo na direção das Rochas das Cobras. Garra de Tigre tomou um caminho diferente rumo à floresta, deixando sozinhos no vale Pata Cinzenta e Pata de Fogo, que tentavam adivinhar a quem o guerreiro seguiria em primeiro lugar.

– Não sei por que ele acha que a rota das Rochas das Cobras é fácil! – miou Pata Cinzenta. – O lugar parece rastejar de tantas serpentes. Pássaros e camundongos ficam longe dali por causa da quantidade de cobras!

– Pata Negra terá de passar o tempo todo evitando ser picado – concordou Pata de Fogo.

– Ele vai ficar bem – miou Pata Cinzenta. – Nem mesmo uma serpente seria rápida bastante para agarrar Pata Negra agora, de tanto que ele pula. É melhor eu ir. Encontro vocês aqui mais tarde. Boa sorte!

Pata Cinzenta correu na direção do riacho. Pata de Fogo parou para farejar o ar e depois, dirigindo-se à encosta do vale, começou a rumar para os Pinheiros Altos.

Parecia estranho seguir naquela direção, para as bandas do lugar dos Duas-Pernas, onde tinha crescido. Com cuidado, Pata de Fogo atravessou o caminho estreito que dava para a floresta de pinheiros. Olhou através das fileiras retas de árvores, de um lado a outro do chão batido da floresta, alerta para ver alguma presa ou sentir seu cheiro.

Um movimento lhe chamou a atenção. Era um camundongo se esgueirando entre as agulhas dos pinheiros. Lembrando a primeira lição, Pata de Fogo agachou na posição de tocaia, mantendo o peso nos quadris e as patas encostadas de leve no chão. A técnica funcionou perfeitamente. O camundongo não conseguiu perceber Pata de Fogo até o pulo final. O gato o pegou com uma pata e rapidamente o matou. Então enterrou a presa, para apanhá-la na volta.

Pata de Fogo foi um pouco mais além pelos Pinheiros Altos. O chão estava bastante marcado pela trilha feita pelo enorme monstro dos Duas-Pernas que derrubava as árvores. Ele respirou fundo, com a boca aberta. O hálito ácido do monstro, por enquanto, não impregnara o ar por ali.

Pata de Fogo seguiu as trilhas fundas, pulando pelos buracos no chão. Estavam meio cheios de chuva, o que o deixava com sede. Ficou tentado a parar e beber um pouco das poças, mas hesitou. Uma lambida daquela água lamacenta e fedida e ele sentiria o gosto horrível do monstro por dias.

Decidiu esperar. Talvez houvesse uma poça de chuva além dos Pinheiros Altos. Embrenhou-se entre as árvores e atravessou o caminho dos Duas-Pernas na fronteira extrema.

Estava de volta à vegetação espessa da floresta de carvalho. Entrou ainda mais até encontrar uma poça, onde se fartou de água fresca. De repente, seu pelo começou a se eriçar em alerta. Ele reconheceu sons e cheiros familiares do seu antigo ponto de observação na cerca e logo soube onde estava. Era a floresta que fazia fronteira com o lugar dos Duas-Pernas. Agora devia estar bem perto da sua antiga casa.

Mais adiante, Pata de Fogo sentiu o cheiro dos Duas-Pernas e ouviu suas vozes, altas e estridentes, como de corvos. Era um grupo de jovens Duas-Pernas brincando pela floresta. O aprendiz agachou, observando através das samambaias. Os sons estavam a uma distância segura. Ele mudou de direção, evitando os barulhos, cuidando para não ser visto.

Pata de Fogo permaneceu alerta, observando, mas não apenas por causa dos Duas-Pernas – Garra de Tigre podia estar por perto. Pensou ter ouvido um estalar de galho nos arbustos atrás dele. Farejou o ar, mas nada percebeu de novo. Estaria sendo observado?, perguntou-se.

Pelo canto do olho, percebeu um movimento. Primeiro pensou que fosse a pelagem marrom-escuro de Garra de Tigre, mas então viu um lampejo branco. Parou, agachou e respirou fundo. O cheiro era estranho; era um gato, mas não do Clã do Trovão. Pata de Fogo sentiu o pelo eriçar com os instintos de um guerreiro de clã. Teria de expulsar o intruso do território do Clã do Trovão!

Pata de Fogo observou a criatura se movimentando entre a vegetação. Viu claramente seu perfil enquanto ela passava correndo entre as samambaias. Esperou que se aproximasse. Agachou ainda mais, com a cauda em lenta cadência para a frente e para trás. Quando o gato preto e branco se aproximou, Pata de Fogo balançou os quadris de um lado para outro, preparando-se para atacar. Mais uma batida de coração e ele saltou.

O gato preto e branco pulou no ar, apavorado, e correu pelo meio das árvores. Pata de Fogo correu atrás.

É um gato de gente!, pensou, disparando pela vegetação, sentindo cheiro de medo. *No meu território!* Pata de Fogo se aproximava rapidamente do animal em fuga. De repente, o gato diminuiu o ritmo, preparando-se para escalar o tronco de uma árvore caída, largo e cheio de musgo. Com o sangue latejando nas orelhas, Pata de Fogo pulou nas costas dele com um único movimento e, ao cravar-lhe as garras, sentiu-o se debater. O gato soltou um grito desesperado de terror.

Pata de Fogo soltou as garras e afastou-se. O gato preto e branco, tremendo de medo, agachou-se ao pé de uma árvore caída e olhou para ele. Pata de Fogo levantou o nariz, sentindo um tremor de desgosto com a rendição tão fácil do intruso. Aquele gato doméstico, macio e roliço, de olhos redondos e rosto estreito, parecia muito diferente dos gatos magros e de cabeça larga com quem Pata de Fogo vivia agora. Mesmo assim, havia algo familiar naquele felino.

Pata de Fogo encarou-o firme e farejou o ar, tentando identificar o odor do gato. *Não reconheço o cheiro*, pensou, procurando na memória.

Então ele se deu conta.

– Borrão! – miou alto.

– Co-como você-cê sabe me-meu n-nome? – gaguejou Borrão, ainda agachado.

– Sou eu! – miou Pata de Fogo.

O gato doméstico parecia confuso.

– Nós crescemos juntos! Eu morava no jardim perto de você – insistiu Pata de Fogo.

– Ferrugem? – miou Borrão, sem acreditar. – É você? Voltou a encontrar os gatos selvagens? Ou está numa casa nova? Deve ser isso, se você ainda está vivo!

– Meu nome agora é Pata de Fogo – miou o aprendiz, que relaxou os ombros e deixou a pelagem abaixar, revelando um pelo lustroso e laranja.

Borrão também relaxou. Suas orelhas se retesaram. – *Pata de Fogo!* – repetiu, divertido. – Bem, Pata de Fogo, parece que os seus novos donos não lhe dão comida suficiente! Com certeza você não estava magricela assim da última vez que nos encontramos!

– Não preciso que os Duas-Pernas me alimentem – replicou Pata de Fogo. – Tenho uma floresta inteira de comida para me alimentar.

– Duas-Pernas?

– Os que moram nas casas. É assim que os clãs os chamam.

Borrão pareceu perplexo por um segundo; então, sua expressão converteu-se em total assombro. – Quer dizer que você está mesmo vivendo com os gatos selvagens?

– Estou! – Pata de Fogo fez uma pausa. – Você sabe, você tem um cheiro... diferente. Estranho.

– Estranho? – Borrão repetiu. O gato cheirou o ar. – Acho que agora você está acostumado com o cheiro dos gatos selvagens.

Pata de Fogo balançou a cabeça, como se quisesse clarear o pensamento. – Mas crescemos juntos. Eu devia reconhecer o seu cheiro como reconheceria o da minha própria mãe. – Então Pata de Fogo lembrou. Borrão tinha mais de seis luas. Não era estranho parecer tão macio e gorducho, com um cheiro tão diferente. – Você esteve no Corta-Gato! – arfou. – Quero dizer, no veterinário!

Borrão encolheu os ombros negros e roliços. – E daí?

Pata de Fogo estava mudo. Estrela Azul tinha razão.

– E então? Como é viver na floresta? – Borrão perguntou. – É tão bom quanto pensou que fosse?

Pata de Fogo pensou por um instante: na noite anterior, dormindo numa toca úmida. Pensou na bile de rato e na tarefa de limpar as fezes de Presa Amarela; em suas tentativas de agradar Coração de Leão e Garra de Tigre ao mesmo tempo, durante o treinamento. Lembrou-se de como implicaram com ele por causa de seu sangue de gatinho de gente. Então se lembrou da emoção da primeira presa, de correr pela floresta perseguindo um esquilo e das noites mornas sob as estrelas, trocando lambidas com os amigos.

– Agora eu sei quem sou – miou simplesmente.

Borrão virou a cabeça para o lado e olhou para Pata de Fogo, claramente confuso. – É melhor eu ir para casa – miou. – Daqui a pouco está na hora da minha comida.

– Tenha cuidado, Borrão – Pata de Fogo inclinou-se e deu no velho amigo uma lambida carinhosa entre as orelhas. Borrão, retribuindo, esfregou nele o focinho. – Mantenha-se alerta. Pode andar pela área outro gato que não seja, como eu, tão amigo de gatinhos de gente... quero dizer, gatos domésticos.

As orelhas de Borrão se agitaram nervosamente ao ouvir essas palavras. Ele olhou à volta com cuidado e pulou sobre o tronco da árvore caída. – Adeus, Ferrugem – despediu-se. – Vou contar a todo o mundo em casa que você está bem!

– Adeus, Borrão – miou Pata de Fogo. – Aproveite sua refeição!

Ele observou a ponta branca da cauda de Borrão desaparecer no extremo do tronco de árvore. A distância, ouviu o barulho de ração seca sendo despejada na tigela e a voz de um Duas-Pernas chamando.

Pata de Fogo virou-se e, com a cauda levantada, começou a voltar para casa, farejando o ar ao longo do caminho. *Vou encontrar um pintassilgo ou dois por aqui. Depois vou arrumar mais alguma coisa no caminho de volta entre os pinheiros* – pensou, decidido. Sentia-se cheio de energia depois do encontro com Borrão; dava-se conta agora de como tinha sorte em viver no meio do clã.

Olhou os galhos acima dele e começou a andar silenciosamente pela floresta, com todos os sentidos alertas. Agora só faltava impressionar Estrela Azul e Garra de Tigre para o dia ser perfeito.

CAPÍTULO 11

Pata de Fogo voltou com um pintassilgo preso firmemente entre os dentes. Deixou-o cair na frente de Garra de Tigre, que esperava no vale.

– Você foi o primeiro a voltar – disse o guerreiro.

– É, mas tenho muito mais presas para buscar – respondeu de pronto o aprendiz – Enterrei-as...

– Sei exatamente o que fez – grunhiu Garra de Tigre. – Estive observando você.

Um zunido nos arbustos anunciou a volta de Pata Cinzenta. Carregava um pequeno esquilo na boca, que colocou ao lado do pintassilgo. – Eca! – disparou. – Esquilos são peludos demais. Vou passar a noite toda tirando pelo dos dentes.

Garra de Tigre não prestou atenção ao resmungo de Pata Cinzenta. – Pata Negra está atrasado – observou. – Vamos dar a ele mais um tempo e voltamos ao acampamento.

– Mas, e se ele tiver sido picado por uma serpente? – protestou Pata de Fogo.

– Então, a culpa é dele – retrucou Garra de Tigre friamente. – Não há lugar para tolos no Clã do Trovão.

Esperaram em silêncio. Pata Cinzenta e Pata de Fogo trocaram olhares, preocupados com o amigo. Garra de Tigre estava imóvel, aparentemente perdido em pensamentos.

Pata de Fogo foi o primeiro a farejar a chegada de Pata Negra. Pulou quando o gato negro deu um salto na clareira, parecendo incrivelmente satisfeito. Tinha pendurada na boca uma serpente comprida e com o corpo estampado em diamantes.

– Pata Negra! Tudo bem com você? – perguntou Pata de Fogo.

– Ei! – miou Pata Cinzenta, adiantando-se para admirar a presa de Pata Negra. – Ela picou você?

– Ela não teve tempo para isso! – ronronou Pata Negra em voz alta, cheio de orgulho. Foi quando deu de cara com Garra de Tigre e calou a boca.

O guerreiro congelou os três aprendizes com o olhar. – Venham – disse secamente. – Vamos pegar o resto das presas e voltar ao acampamento.

Pata de Fogo, Pata Cinzenta e Pata Negra entraram no acampamento, seguindo Garra de Tigre. Traziam na boca suas presas admiráveis, embora Pata Negra continuasse tropeçando na cobra morta. Quando saíram do caminho de tojos, um grupo de filhotes escapou do berçário para vê-los.

– Vejam! – Pata de Fogo ouviu um deles dizer. – Os aprendizes acabam de voltar da caçada! – Ele reconheceu o gato malhado que Presa Amarela maltratara na véspera. Sentado perto dele estava um filhote cinza e peludo, que não tinha mais que duas luas de idade. A seu lado, um gato preto bem miúdo e uma pequena gata atartarugada.

– Aquele não é Pata de Fogo, o gatinho de gente? – guinchou o filhote.

– É, sim! Olhe o pelo cor de laranja! – miou o preto.

– Dizem que é bom caçador – acrescentou a gata atartarugada. – Lembra um pouco Coração de Leão. Você acha que é bom como ele?

– Não vejo a hora de começar o treinamento – miou o malhadinho. – Vou ser o melhor guerreiro que o Clã do Trovão já viu!

Pata de Fogo levantou o queixo, orgulhoso dos comentários de admiração dos filhotes, e seguiu os dois amigos até o centro da clareira.

– Uma *cobra*! – Pata Cinzenta miou novamente, quando os aprendizes colocaram no chão o resultado da caça para que os outros gatos a partilhassem.

– O que faço com isso? – perguntou Pata Negra cheirando o corpo da cobra colocado ao lado da pilha.

– Isso se come? – perguntou Pata Cinzenta.

– Você, sempre pensando no estômago! – brincou Pata de Fogo, cutucando Pata Cinzenta com a cabeça.

– Eu é que não ia querer comer isso – murmurou Pata Negra. – Quero dizer, já estou com um gosto horrível na boca só de trazer a cobra!

– Vamos colocá-la no toco da árvore, então – sugeriu

Pata Cinzenta –, para que Pata de Poeira e Pata de Areia a vejam quando voltarem.

Cada um carregou a sua presa, além da serpente, de volta para a toca dos aprendizes. Com cuidado, Pata Cinzenta colocou a cobra no toco, de forma que pudesse ser vista claramente de todos os lados. Então, comeram. Quando acabaram, sentaram perto um do outro para lamber-se e conversar.

– Quem será que Estrela Azul vai escolher para ir à Assembleia? – Pata de Fogo perguntou. – Amanhã é lua cheia.

– Pata de Areia e Pata de Poeira já foram duas vezes – retrucou Pata Cinzenta.

– Pode ser que Estrela Azul agora chame um de nós – miou Pata de Fogo. – Afinal, já estamos em treinamento há quase três luas.

– Mas Pata de Areia e Pata de Poeira ainda são os aprendizes mais velhos – Pata Negra lembrou.

Pata de Fogo concordou. – E essa Assembleia vai ser importante. Vai ser a primeira desde que o Clã do Vento desapareceu. Nenhum gato sabe o que o Clã das Sombras vai dizer a respeito.

O miado baixo de Garra de Tigre interrompeu-os. – Você está certo, meu jovem. – O guerreiro se aproximara sem ser notado. – Aliás, Pata de Fogo – acrescentou com voz suave –, Estrela Azul quer vê-lo.

Pata de Fogo ficou surpreso. Por que será que a líder queria vê-lo?

– Agora, se você se dignar – miou Garra de Tigre.

Pata de Fogo pôs-se em pé imediatamente e atravessou a clareira na direção da toca de Estrela Azul.

A líder estava sentada do lado de fora, agitando a cauda sem parar, para a frente e para trás. Quando viu o aprendiz, levantou-se e o olhou firmemente. – Garra de Tigre me disse que viu você conversando hoje com um gato dos Duas-Pernas – ela miou, calma.

– Mas ... – começou Pata de Fogo.

– Disse que você começou lutando com o gato, mas que acabaram trocando lambidas.

– É verdade – admitiu o aprendiz, na defensiva, sentindo o pelo eriçar. – Trata-se de um velho amigo, crescemos juntos. – Fez uma pausa e engoliu em seco. – Quando eu era um gatinho de gente.

Estrela Azul olhou-o longamente e perguntou: – Você sente falta da sua antiga vida, Pata de Fogo? Pense bem antes de responder.

– Não, não sinto. – *Como ela podia pensar aquilo?*, espantou-se Pata de Fogo. A cabeça girava. O que Estrela Azul estava tentando fazê-lo dizer?

– Você quer deixar o clã?

– Claro que não! – Pata de Fogo ficou chocado com a pergunta.

Estrela Azul não pareceu notar o vigor da resposta. Balançou a cabeça, parecendo de repente velha e cansada. – Não vou julgá-lo se você nos deixar, Pata de Fogo. Talvez eu tenha esperado demais de você. Talvez meu julgamento tenha sido prejudicado pela necessidade do clã de novos guerreiros.

O pânico tomou conta do aprendiz, ao pensar em deixar o clã para sempre. – Mas meu lugar é aqui! Este é o meu lar – protestou.

– Preciso mais do que isso, Pata de Fogo. Preciso poder confiar na sua lealdade ao Clã do Trovão, principalmente agora que o Clã das Sombras parece estar planejando um ataque. Não temos lugar para quem não tem certeza se o seu coração está no passado ou no presente.

Pata de Fogo respirou fundo e escolheu as palavras seguintes com muito cuidado. – Quando vi Borrão hoje, o gato doméstico com quem eu conversava quando Garra de Tigre me observava, percebi como minha vida teria sido se eu tivesse ficado com os Duas-Pernas. Fiquei feliz por não ter ficado. Me senti orgulhoso de ter partido. – Ele não desviou o olhar de Estrela Azul, que o fitava. – Encontrar Borrão me deu a certeza de que tomei a decisão correta. Nunca ficaria satisfeito com a vida mansa de gatinho de gente.

Estrela Azul fitou-o por um instante, com os olhos estreitos, finalmente concordando com a cabeça. – Muito bem. Acredito em você.

Pata de Fogo abaixou a cabeça numa reverência profunda e deu um suspiro de alívio.

– Falei mais cedo com Presa Amarela – miou a líder em um tom mais brando. – Ela pensa muito bem de você. É uma gata velha e sábia, você sabe. Acho que nem sempre foi mal-humorada. Na verdade, imagino que eu possa até acabar gostando dela.

Pata de Fogo sentiu uma inesperada sensação de prazer ao ouvir tais palavras. Talvez, enquanto tomava conta de

Presa Amarela, sua admiração tenha se transformado em afeição, apesar do temperamento difícil da gata. Qualquer que fosse a razão, ficou feliz por Estrela Azul também gostar dela.

– Mas há alguma coisa que me deixa desconfiada – a líder continuou calmamente. – Ela vai ficar com o Clã do Trovão por ora, mas ainda como prisioneira. As rainhas vão tomar conta dela. É preciso que você se concentre no treinamento.

O aprendiz fez um sinal com a cabeça e esperou para ser dispensado; mas a gata ainda não terminara. – Pata de Fogo, embora você tenha tomado a decisão errada hoje, falando com um gato doméstico, Garra de Tigre *ficou* impressionado com suas habilidades de caçador. Na verdade, relatou que todos vocês foram bem. Fico satisfeita com o progresso. Vocês vão à Assembleia; os três.

Pata de Fogo mal podia se conter. Seu corpo pinicava de empolgação. A Assembleia! – E Pata de Areia e Pata de Poeira? – perguntou.

– Vão ficar no acampamento, montando guarda – explicou Estrela Azul. – Agora pode ir. – Ela balançou a cauda comprida para mostrar que ele estava dispensado e voltou a se lamber.

Pata Cinzenta e Pata Negra ficaram espantados ao ver Pata de Fogo vindo na sua direção, todo saltitante. Estavam nervosos, esperando-o ao lado do toco de árvore. Pata de Fogo sentou e olhou para os amigos.

– E então? – perguntou Pata Cinzenta. – O que ela disse?

– Garra de Tigre nos disse que você estava trocando lambidas com um *gatinho de gente* esta manhã – disparou Pata Negra. – Você está encrencado?

– Não. Embora Estrela Azul não tenha gostado – admitiu o aprendiz, lamentando. – Ela achou que eu estivesse pensando em deixar o Clã do Trovão.

– Mas você não está, está? – perguntou Pata Negra.

– Claro que não! – miou Pata Cinzenta.

Pata de Fogo deu uma patada carinhosa no amigo cinzento. – Ah, você detestaria isso. Precisa de mim para caçar uns camundongos para você! Só o que consegue pegar são esquilos velhos e peludos!

Pata Cinzenta se desviou do bafo de Pata de Fogo e ficou de pé nas patas traseiras, pronto para revidar.

– Você nunca vai adivinhar o que mais ela disse! – continuou Pata de Fogo. Estava excitado demais para perder tempo brincando de lutar.

Pata Cinzenta imediatamente se afastou, colocando-se nas quatro patas. – O quê? – perguntou.

– Vamos para a Assembleia!

Pata Cinzenta deixou escapar um grito de prazer e subiu no toco de árvore. Uma de suas patas traseiras bateu na serpente que estava pendurada, e esta acabou caindo na cabeça de Pata Negra, vindo a se enrolar no seu pescoço.

Pata Negra cuspiu, assustado e surpreso, e se voltou para Pata Cinzenta. – Preste atenção! – reclamou, grosseiro. Sacudiu a serpente e a jogou no chão.

– Ficou com medo que ela o mordesse? – provocou Pata de Fogo. Em seguida, agachou-se e, sibilando, arrastou-se na direção de Pata Negra.

Pata Negra estremeceu bigodes e replicou: – Que bela cobra você daria! – Pulou sobre Pata de Fogo e facilmente o virou de barriga para cima.

Pata Cinzenta desceu do toco da árvore e deu um puxão na cauda de Pata Negra. Quando este se virou para dar uma patada de leve em Pata Cinzenta, Pata de Fogo pulou em cima dos dois, fazendo Pata Cinzenta voar do toco. Os três gatos rolaram na terra, lutando no chão. Finalmente se separaram e se ajeitaram, colocando-se ao lado do toco.

– Pata de Areia e Pata de Poeira vão também? – perguntou Pata Cinzenta.

– Que nada! – disse Pata de Fogo, incapaz de disfarçar um certo triunfo na voz. – Têm de ficar de guarda no acampamento.

– Ah! Não vejo a hora de contar para eles – implorou Pata Cinzenta. – Estou louco para ver a cara que vão fazer!

– Eu também! – concordou Pata de Fogo. – Não posso acreditar que *nós* vamos no lugar *deles*. Principalmente depois de Garra de Tigre ter me visto com Borrão hoje!

– Isso foi apenas azar – disse Pata Cinzenta. – Todos nós pegamos um bocado de presas na avaliação. Deve ter sido isso que levaram em conta.

– Fico imaginando como deve ser a Assembleia – miou Pata Negra.

– Vai ser fantástica – respondeu Pata Cinzenta, confiante. – Aposto que todos os grandes guerreiros vão estar lá. Cara Rasgada, Pele de Pedra...

Mas Pata de Fogo não estava mais prestando atenção. Na verdade, pensava em Garra de Tigre e em Borrão. Pata Cinzenta estava certo. *Fora* azar que o grande guerreiro o estivesse observando bem na hora em que encontrara o velho amigo. Por que não estava observando Pata Cinzenta ou Pata Negra? Foi mesmo falta de sorte Garra de Tigre tê-lo enviado para tão perto do lugar dos Duas-Pernas.

De repente, um mau pensamento invadiu a mente de Pata de Fogo: *por que* Garra de Tigre o tinha enviado para tão perto de sua antiga casa? Queria testá-lo? Não acreditava na sua lealdade ao Clã do Trovão?

CAPÍTULO 12

Pata de Fogo observava do alto de uma encosta coberta de arbustos. Pata Cinzenta e Pata Negra estavam agachados a seu lado. Perto deles, na vegetação, um grupo de anciãos, rainhas e guerreiros do Clã do Trovão aguardava o sinal de Estrela Azul.

Pata de Fogo não tinha voltado àquele lugar desde sua primeira jornada com Coração de Leão e Garra de Tigre. A vereda escarpada parecia diferente. O verde abundante das florestas estava embranquecido pela luz da lua cheia, e as folhas das árvores brilhavam como prata. Embaixo estavam os grandes carvalhos que marcavam o ponto em que o território de cada clã se encontrava com os demais.

O ar estava denso com os cheiros mornos de gatos dos outros clãs. Pata de Fogo podia vê-los claramente ao luar, movimentando-se na grama da clareira que havia entre os quatro carvalhos. No centro, uma pedra grande e pontiaguda surgia do chão da floresta como um dente partido.

– Vejam todos aqueles gatos lá embaixo – Pata Negra silvou, baixinho.

– Lá está Estrela Torta – Pata Cinzenta cochichou de volta. – O líder do Clã do Rio.

– Onde? – Pata de Fogo miou, impaciente, cutucando Pata Cinzenta.

– Aquele gato meio malhado, ao lado da Pedra do Conselho.

Pata de Fogo seguiu a indicação do amigo e viu um gato enorme, maior ainda que Coração de Leão, sentado no meio da clareira. A pelagem listrada brilhava palidamente ao luar. Mesmo àquela distância o rosto mostrava os sinais de uma vida dura, e a boca parecia torta, como se tivesse sido quebrada e consertada de qualquer jeito.

– Ei! – miou Pata Cinzenta. – Vocês viram como Pata de Areia cuspiu quando lhe desejei uma ótima noite em casa?

– Garanto que vai ter! – Pata de Fogo ronronou.

Pata Negra interrompeu-os com um grunhido surdo: – Vejam! Lá está Estrela Partida, o líder do Clã das Sombras.

Pata de Fogo olhou para o gato listrado de marrom-escuro. O pelo era incrivelmente longo; a cara, larga e achatada. Seu jeito taciturno de sentar-se e olhar à volta fazia a pelagem de Pata de Fogo eriçar-se de incômodo.

– Ele parece bem antipático – murmurou Pata de Fogo.

– É verdade – concordou Pata Cinzenta. – Não há dúvida de que conseguiu uma reputação entre todos os clãs por não tolerar brincadeiras. E nem faz tanto tempo que se tornou líder... quatro luas, desde que seu pai, Estrela Afiada, morreu.

– Como é o líder do Clã do Vento? – perguntou Pata de Fogo.

– Estrela Alta? Nunca o vi, mas sei que é preto e branco e tem uma cauda bem comprida – respondeu Pata Cinzenta.

– Você consegue vê-lo?

Pata Cinzenta olhou para baixo, procurando entre a multidão de felinos. – Neca!

– Consegue sentir o cheiro de *algum* gato do Clã do Vento?

Pata Cinzenta balançou a cabeça. – Não.

O miado de Coração de Leão soou calmo ao lado deles: – Os gatos do Clã do Vento podem estar apenas atrasados.

– Mas, e se não aparecerem? – miou Pata Cinzenta.

– Silêncio! Precisamos ter paciência. São tempos difíceis. Agora fiquem quietos. Estrela Azul, daqui a pouco, vai dar o sinal para nos movimentarmos – Coração de Leão miou baixinho.

Enquanto ele falava, Estrela Azul se levantou e, mantendo a cauda no alto, balançou-a de um lado para outro. O coração de Pata de Fogo quase parou quando os gatos do Clã do Trovão se levantaram todos juntos e surgiram em meio aos arbustos, descendo na direção do local de encontro. Ele correu ao lado dos felinos, sentindo o vento nas orelhas e as patas pinicando de ansiedade.

Os gatos do Clã do Trovão pararam instintivamente no extremo da clareira, fora dos limites marcados pelos carvalhos. Estrela Azul farejou o ar. Fez um gesto e a tropa avançou para dentro da clareira.

Pata de Fogo estava excitado. Os outros felinos pareciam ainda mais impressionantes vistos de perto, movendo-se lentamente nas imediações da Pedra Grande. Um guerreiro grande e branco passou. Pata de Fogo e Pata Negra o olharam, maravilhados.

– Olhe que patas! – murmurou Pata Negra.

Pata de Fogo olhou para baixo e percebeu que as patas enormes do gato eram de um preto retinto.

– Deve ser o Pé Preto – miou Pata Cinzenta. – O novo representante do Clã das Sombras.

Pé Preto caminhou até Estrela Partida e sentou ao seu lado. O líder do Clã das Sombras o reconheceu com um movimento da orelha, mas nada disse.

– Quando o encontro vai começar? – Pata Negra perguntou a Nevasca.

– Seja paciente. O céu está claro esta noite, o que significa que temos muito tempo.

Coração de Leão inclinou-se e acrescentou: – Nós, guerreiros, gostamos de ficar um tempo nos vangloriando das vitórias, enquanto os anciãos trocam histórias sobre como eram as coisas antigamente, antes de os Duas-Pernas chegarem. – Os aprendizes o olharam e viram seus bigodes se mexer com malícia.

Cauda Mosqueada, Caolha e Orelhinha foram direto até um grupo de gatos mais velhos que se ajeitavam sob um dos carvalhos. Nevasca e Coração de Leão seguiram na direção de outros guerreiros, que Pata de Fogo não conhecia. Ele farejou o ar e reconheceu neles o cheiro do Clã do Rio.

A voz de Estrela Azul soou por trás dos três aprendizes.

– Não desperdicem nem um minuto esta noite – advertiu. – Esta é uma boa oportunidade para conhecer os inimigos. Ouçam o que dizem; lembrem-se de como são e como se comportam. Nesses encontros aprende-se muita coisa.

– E falem pouco – advertiu Garra de Tigre. – Não deem nenhuma dica que possa ser usada contra nós quando a lua minguar.

– Não se preocupe; vamos nos comportar! – Pata de Fogo logo prometeu, olhando nos olhos de Garra de Tigre. Ele ainda sentia que o guerreiro não confiava na sua lealdade.

Os dois guerreiros concordaram em silêncio e se afastaram, deixando sozinhos os aprendizes, que se olharam.

– O que fazemos agora? – perguntou Pata de Fogo.

– O que eles mandaram – respondeu Pata Negra. – Prestamos atenção.

– E não falamos muito – acrescentou Pata Cinzenta.

Pata de Fogo se mostrava preocupado. – Vou ver aonde foi Garra de Tigre – miou.

– E eu vou procurar Coração de Leão – miou Pata Cinzenta. – Você vem comigo, Pata Negra?

– Não, obrigado.Vou procurar outros aprendizes.

– Tudo bem. A gente se encontra mais tarde – miou Pata de Fogo, saindo no encalço de Garra de Tigre.

Foi fácil sentir o cheiro de Garra de Tigre e encontrá-lo no centro de um grupo de enormes guerreiros, atrás da Pedra Grande.

Ele contava uma história que Pata de Fogo tinha ouvido muitas vezes no acampamento. Descrevia a recente batalha contra os caçadores do Clã do Rio. – Lutei como um gato do Clã dos Leões. Três guerreiros tentaram me segurar, mas joguei-os longe. Lutei até dar cabo de dois deles; o terceiro correu para a floresta, como um filhote chorando pela mãe.

Dessa vez Garra de Tigre não mencionou ter matado Coração de Carvalho para vingar a morte de Rabo Vermelho. *Talvez para não ofender os guerreiros do Clã do Rio*, Pata de Fogo deduziu.

O aprendiz ouviu educadamente até o fim da história, mas um cheiro familiar o distraiu. Logo que Garra de Tigre parou de falar, Pata de Fogo se virou na direção do cheiro doce, que vinha de um grupo de gatos ali perto.

Encontrou Pata Cinzenta entre os felinos, mas não era aquele o cheiro que ele perseguia. Do outro lado de Pata Cinzenta, entre dois gatos do Clã do Rio, estava Folha Manchada. Pata de Fogo olhou-a timidamente e se colocou ao lado do amigo.

– Ainda não sinto nenhum cheiro do Clã do Vento – miou para Pata Cinzenta.

– O encontro ainda não começou; pode ser que ainda venham. Veja, lá está Nariz Molhado. Parece que é o curandeiro do Clã das Sombras. – Apontou para um pequeno gato cinza e branco, no meio do grupo.

– Estou vendo por que o chamam Nariz Molhado – observou Pata de Fogo. O nariz do curandeiro estava úmido na ponta, cheio de craca nas bordas.

– *Eca* – disse Pata Cinzenta, debochando. – Não sei por que o indicaram como curandeiro se não consegue nem cuidar do próprio resfriado!

Nariz Molhado estava falando a uns gatos sobre uma erva que os curandeiros usavam antigamente para curar a tosse de filhotes. – Desde que os Duas-Pernas chegaram e encheram o lugar com terra dura e flores estranhas – ele reclamava, falando alto –, a erva desapareceu e os filhotes agora morrem à toa no tempo frio.

Os gatos à volta grunhiram, mostrando desaprovação.

– Isso nunca teria acontecido na época dos felinos dos grandes clãs – observou uma rainha negra do Clã do Rio.

– É verdade – miou um gato malhado de prateado. – Os grandes felinos teriam matado qualquer Duas-Pernas que ousasse entrar no território deles. Se o Clã dos Tigres ainda vagasse por esta floresta, os Duas-Pernas nunca teriam invadido nossas terras a esse ponto.

Então Pata de Fogo ouviu o miado calmo de Folha Manchada: – Se o Clã dos Tigres andasse por estas florestas, *nós* tampouco teríamos instalado aqui o nosso território.

– O que era o Clã dos Tigres? – perguntou um miado baixinho. Pata de Fogo viu que se tratava de um pequeno aprendiz malhado de um dos outros clãs, sentado ao seu lado.

– O Clã dos Tigres foi um dos maiores clãs de grandes felinos que andavam nesta floresta – explicou calmamente Pata Cinzenta. – São gatos da noite, grandes como cavalos, com listras pretas retintas. E há o Clã dos Leões. Eles... – Pata Cinzenta hesitou, franzindo a testa ao tentar lembrar.

– Ah! Ouvi falar deles – miou o filhote malhado. – Eram grandes como os tigres, com pelo amarelo e jubas douradas como raios do sol.

Pata Cinzenta concordou. – E ainda havia aquele outro, Clã dos Pintados ou coisa parecida...

– Acho que você está falando do Clã dos Leopardos, jovem Pata Cinzenta – miou uma voz atrás deles.

– Coração de Leão! – Pata Cinzenta saudou o mentor com um toque afetuoso do nariz.

Coração de Leão balançou a cabeça, com desprezo e deboche. – Vocês, jovens, não conhecem a própria história? O Clã dos Leopardos tinha os felinos mais rápidos. Eram enormes, dourados, e tinham pintas negras que se pareciam com patas. Agradeçam a eles pela velocidade e pela capacidade de caça que agora possuem.

– Agradecer? Por quê? – perguntou o gato malhado.

Coração de Leão olhou para o pequeno aprendiz e disse:

– Há em cada gato de hoje um vestígio de todos os grandes felinos. Não seríamos caçadores noturnos sem nossos ancestrais do Clã dos Tigres, e nosso amor pelo calor do sol vem do Clã dos Leões. – Fez uma pausa. – Você é um aprendiz do Clã das Sombras, não é? Quantas luas você tem?

O gato, meio sem jeito, olhou para o chão. Sem fitar diretamente Coração de Leão, gaguejou: – Se-seis luas.

– Bem pequeno para seis luas – murmurou o guerreiro. O tom era delicado, mas o olhar era inquiridor e sério.

– Minha mãe também era pequena – disse o gato, nervoso. Então, inclinou a cabeça e se afastou, gingando a cauda levemente marrom, para desaparecer na multidão.

Coração de Leão virou-se para Pata de Fogo e Pata Cinzenta. – Ele pode ser pequeno, mas ao menos se mostrou curioso. Quem dera vocês dois mostrassem o mesmo interesse pelas histórias que os anciãos contam!

– Desculpe, Coração de Leão – miaram os dois aprendizes, trocando olhares cheios de dúvida.

Coração de Leão grunhiu de forma amigável. – Ah, saiam daqui vocês dois. Da próxima vez, espero que Estrela Azul arrume aprendizes que apreciem o que ouvem. – Com um miado desanimado, espantou-os dali.

– Venha – ronronou Pata Cinzenta, quando saíam. – Vamos ver onde está Pata Negra.

Ele estava no meio de um grupo de aprendizes loucos para saber da história da batalha com o Clã do Rio.

– Vamos, Pata Negra! Conte o que aconteceu! – gritou uma gata miúda, preta e branca.

Pata Negra, tímido, movimentou os pés e sacudiu a cabeça.

– Conte, Pata Negra! – insistiu um outro gato.

O aprendiz olhou à volta e viu Pata de Fogo e Pata Cinzenta no canto do grupo. Pata de Fogo fez um sinal com a cabeça, para encorajá-lo. Pata Negra balançou a cauda, agradecido, e começou a contar.

No início se atrapalhou um pouco, mas, à medida que prosseguia, o temor foi desaparecendo da voz e ele conquistou o público, que arregalava os olhos mais e mais.

– Havia pelo voando para todo lado. O sangue se espalhava pelas amoreiras, vermelho vivo contra o verde. Tinha acabado de me livrar de um gato enorme, que saiu guinchando para dentro dos arbustos, quando o chão tremeu e ouvi o grito de um guerreiro. Era Coração de Carvalho! Rabo Vermelho passou correndo por mim com a boca pingando sangue, o pelo rasgado, gritando que Coração de Carvalho estava morto. Então, saiu correndo para ajudar Garra de Tigre, que lutava com outro guerreiro.

– Quem diria que Pata Negra era tão bom contador de histórias – Pata Cinzenta, impressionado, comentou baixinho com Pata de Fogo.

Mas Pata de Fogo estava pensando em outra coisa. O que fora mesmo que Pata Negra havia dito? *Rabo Vermelho* matara Coração de Carvalho? Mas, de acordo com Garra de Tigre, Coração de Carvalho matara Rabo Vermelho e ele, Garra de Tigre, tinha matado Coração de Carvalho, como vingança.

– Se Rabo Vermelho matou Coração de Carvalho, quem matou Rabo Vermelho? – Pata de Fogo cochichou com Pata Cinzenta.

– Se quem fez o quê? – Pata Cinzenta repetiu, distraído. Não estava prestando muita atenção.

Pata de Fogo balançou a cabeça para colocar as ideias em ordem. *Pata Negra deve ter-se enganado*, pensou. *Deve ter querido dizer Garra de Tigre.*

Pata Negra estava chegando ao final da história. – Finalmente, Rabo Vermelho agarrou a cauda do gato choroso e conseguiu afastá-lo de Garra de Tigre e, com a força de todo o Clã dos Tigres, atirou-o nos arbustos.

Pata de Fogo percebeu uma sombra se mexendo. Olhou ao redor e viu Garra de Tigre não muito longe. O guerreiro estava observando Pata Negra com um olhar de ferro. Sem se dar conta da presença do mentor, o aprendiz continuou respondendo às inúmeras perguntas de sua entusiasmada plateia.

– Quais foram as últimas palavras de Coração de Carvalho?

– É verdade que ele nunca tinha perdido uma batalha?

Pata Negra respondia prontamente, em voz alta e clara, os olhos brilhando. Mas quando Pata de Fogo fitou Garra de Tigre, percebeu o olhar terrível do guerreiro e a cara transfigurada pela raiva. Era evidente que ele não estava gostando nada da história de Pata Negra.

Pata de Fogo ia começar a falar alguma coisa para Pata Cinzenta quando um grito anunciou que todos os felinos deviam ficar quietos. Pata de Fogo ficou aliviado quando Pata Negra finalmente calou a boca e Garra de Tigre se foi.

Pata de Fogo procurou ver de onde viera o grito. Contra a luz da lua, percebia-se a silhueta de três gatos sentados no alto da Pedra Grande. Eram Estrela Azul, Estrela Partida e Estrela Torta.

Os líderes iam começar a reunião. Mas onde estava o líder do Clã do Vento?

– Eles não vão começar a reunião sem Estrela Alta, vão? – Pata de Fogo cochichou.

– Não sei – murmurou Pata Cinzenta.

– Você viu? Não há nenhum gato do Clã do Vento aqui – observou, baixinho, outro aprendiz do Clã do Rio, do outro lado de Pata de Fogo.

Todos deviam estar comentando a mesma coisa, imaginou Pata de Fogo. Os outros gatos foram se reunindo abaixo da Pedra Grande, com um murmúrio inquieto preso na garganta.

– Ainda não podemos começar – uma voz sobrepôs-se ao barulho. – Onde estão os representantes do Clã do Vento? Precisamos esperar até que todos os clãs estejam presentes.

No alto da rocha, Estrela Azul deu um passo à frente. A pelagem cinza era quase branca sob o brilho da lua. – Sejam bem-vindos, gatos de todos os clãs – miou com a voz clara. – É verdade que o Clã do Vento não está presente, mas Estrela Partida deseja falar, ainda assim.

Estrela Partida, sem fazer barulho, colocou-se ao lado de Estrela Azul. Observou a multidão por alguns instantes, com os olhos cor de laranja em brasa. Respirou fundo e começou: – Amigos, estou aqui hoje para falar com vocês a respeito das necessidades do Clã das Sombras...

Foi interrompido por vozes impacientes que se levantaram.

– Onde está Estrela Alta? – um gato perguntou.

– Onde estão os guerreiros do Clã do Vento? – outro gritou.

Estrela Partida estirou totalmente o corpo e a cauda chicoteou de um lado para o outro. Com a voz cheia de ameaça, grunhiu: – Como líder do Clã das Sombras, tenho o direito de falar aqui!

A multidão fez um silêncio desconfortável. Pata de Fogo sentiu no ar o cheiro forte e acre do medo.

Estrela Partida voltou a uivar. – Todos sabemos que os tempos difíceis da estação sem folhas e o renovo tardio deixaram poucas presas em nossas zonas de caça. Mas também sabemos que o Clã do Vento, o Clã do Rio e o Clã do Trovão perderam muitos filhotes durante o tempo frio, que chegou tão tarde nesta estação. O Clã das Sombras não perdeu filhotes. Resistimos bem ao vento frio do norte. Nossos filhotes são, desde que nascem, mais fortes que os de vocês. Com isso, temos muitas bocas para alimentar e pouquíssimas presas para satisfazê-las.

A multidão, ainda em silêncio, ouvia com ansiedade.

– As necessidades do Clã das Sombras são simples. Para sobreviver, precisamos expandir nossas zonas de caça. É por isso que insisto que permitam aos guerreiros do Clã das Sombras caçar no território de vocês.

Um grito surdo de espanto percorreu a audiência.

– Partilhar as zonas de caça? – perguntou, irado, Garra de Tigre.

– Isso nunca aconteceu! – indignou-se uma rainha atartarugada do Clã do Rio. – Os clãs nunca partilhariam direitos sobre a caça!

– O Clã das Sombras deve ser punido porque nossos bebês são mais fortes? – disse Estrela Partida do alto da Pedra Grande. – Vocês querem que fiquemos olhando enquanto nossos jovens morrem de fome? Vocês *têm* de dividir conosco o que possuem.

– Como assim, *temos*? – disparou Orelhinha, furioso, lá de trás da multidão.

– É. Têm de partilhar – repetiu Estrela Partida. – O Clã do Vento não conseguiu entender a situação. No final, tivemos de despejá-lo do seu território.

Gritos indignados percorreram a multidão, mas o uivo de Estrela Partida foi mais alto. – Se necessário, vamos expulsar vocês também das suas zonas de caça para alimentar nossos filhotes famintos.

Houve um silêncio instantâneo. Do outro lado da clareira, Pata de Fogo ouviu um aprendiz do Clã do Rio começar a murmurar alguma coisa, mas logo um gato mais velho o fez calar.

Satisfeito por conseguir a atenção dos felinos, Estrela Partida continuou: – A cada ano, os Duas-Pernas danificam mais faixas do nosso território. Ao menos um clã deve permanecer forte, para que todos os outros possam sobreviver. O Clã das Sombras prospera enquanto vocês encontram dificuldades. E pode chegar a hora em que seja necessário darmos proteção a vocês.

– Você duvida da nossa força? – protestou Garra de Tigre. Os olhos pálidos fuzilaram ameaçadoramente o líder do Clã das Sombras; seus ombros poderosos, tensos, tremiam.

– Não peço respostas agora – disse Estrela Partida, ignorando o desafio do guerreiro. – Que cada um vá embora e pense nas minhas palavras. Mas tenham em mente o seguinte: vocês preferem partilhar as presas ou serem despejados, ficando sem casa e famintos?

Guerreiros, anciãos e aprendizes se entreolharam sem conseguir acreditar. Na pausa ansiosa que se seguiu, Estrela Torta se adiantou. – Já concordei em conceder ao Clã das Sombras alguns direitos de caça no rio que corta o nosso território – miou calmamente, olhando para seu clã.

Sentimentos de horror e humilhação percorreram os gatos do Clã do Rio, ao ouvirem as palavras do líder.

– Não fomos consultados! – gritou um gato malhado de cinza-prata.

– Acho que é o melhor para o nosso clã. Para todos os clãs – explicou Estrela Torta, com a voz cheia de resignação. – Há muitos peixes no rio. É melhor partilhar nossas presas do que derramar sangue lutando por elas.

– E o Clã do Trovão? – reclamou Orelhinha. – Estrela Azul, você também concordou com essa exigência ultrajante?

Estrela Azul, segura, enfrentou o olhar do velho felino. – Não fiz nenhum acordo com Estrela Partida; só disse que ia discutir a proposta com meu clã depois da Assembleia.

– Bom, ao menos já é alguma coisa – disse Pata Cinzenta no ouvido de Pata de Fogo. – Vamos mostrar a eles que não somos tão bonzinhos quanto os covardes do Clã do Rio.

Estrela Partida voltou a falar, com a voz áspera em tom arrogante e forte depois da rendição de Estrela Torta. – Também trago notícias importantes para a segurança de seus filhotes. Uma gata do Clã das Sombras foi desonesta e quebrou o código dos guerreiros. Nós a expulsamos do acampamento, mas não sabemos onde está agora. É uma velha criatura esquálida, mas com uma mordida digna do Clã dos Tigres.

O pelo de Pata de Fogo se eriçou. Será que ele se referia a Presa Amarela? Esticou as orelhas, curioso para ouvir mais.

– Estou avisando que é perigosa. Não lhe deem abrigo – Estrela Partida fez uma pausa teatral. – Enquanto não for apanhada e morta, aconselho-os a vigiarem seus filhotes bem de perto.

Pelos grunhidos nervosos que brotaram da garganta dos gatos do Clã do Trovão, Pata de Fogo percebeu que também tinham pensado em Presa Amarela. A gata corajosa nada fizera para agradar a seus anfitriões relutantes, e o aprendiz imaginava que não ia demorar muito para se criar um sentimento de ódio contra ela – as palavras de um inimigo detestável como Estrela Partida já seriam suficientes.

Os guerreiros do Clã das Sombras começaram a se retirar. Estrela Partida desceu da Pedra Grande e foi logo rodeado por seus guerreiros, que o escoltaram na saída das Quatro Árvores, de volta ao seu território. Os demais guerreiros do Clã das Sombras logo os seguiram, entre eles o pequenino gato malhado inquirido antes por Coração de Leão. Mas, entre os outros aprendizes do Clã das Sombras, o felino não parecia mais tão pequeno; todos tinham uma aparência diminuta e desnutrida, mais parecendo filhotes de três ou quatro luas do que aprendizes já criados.

– O que você acha disso tudo? – miou, baixinho, Pata Cinzenta.

Pata Negra pulou antes que Pata de Fogo pudesse responder. – O que vai acontecer agora? – miou, com o pelo eriçado em sinal de alarme e os olhos mais esbugalhados do que nunca.

Pata de Fogo não respondeu. Tentava ouvir o que diziam os anciãos do Clã do Trovão reunidos ali perto.

– Ele devia estar falando de Presa Amarela – observou Orelhinha.

– Ela realmente atacou o filhote mais novo de Flor Dourada no outro dia – murmurou, lúgubre, Cauda Sarapintada. Era a mais velha rainha do berçário e protegia bravamente todos os filhotes.

– E nós a deixamos lá, com o acampamento praticamente sem proteção – grunhiu Caolha que, pela primeira vez, pareceu não ter nenhum problema para ouvir tudo o que se dizia.

– Tentei avisar que ela era um perigo para nós – disse Risca de Carvão. – Estrela Azul precisa dar ouvidos à razão agora e se livrar de Presa Amarela antes que ela machuque alguma de nossas crianças.

Garra de Tigre foi até o grupo. – Precisamos voltar imediatamente ao acampamento e resolver a situação com essa vilã! – exclamou.

Pata de Fogo não parou para ouvir mais. Sua cabeça girava. Leal como era ao clã, simplesmente não podia acreditar que Presa Amarela fosse um perigo para as crianças. Temendo pelo destino da gata, queimando com perguntas que somente ela poderia responder, o aprendiz se afastou de Pata Cinzenta e de Pata Negra sem nada falar.

Subiu pela encosta e se embrenhou na floresta. Teria se enganado com Presa Amarela? Se a alertasse quanto ao perigo que estava correndo, poria em risco sua própria situação no Clã do Trovão? Mesmo que se metesse em algum tipo de problema, precisava saber dela a verdade antes que os outros gatos voltassem ao acampamento.

CAPÍTULO 13

Pata de Fogo foi até a beira da ravina e, de lá, olhou o acampamento. Estava arquejando e tinha as patas escorregadias por causa do orvalho. Farejou o ar. Estava sozinho. Ainda havia tempo para falar com Presa Amarela antes que os outros voltassem da Assembleia. Sem fazer barulho, desceu a encosta rochosa e escorregou pelo túnel de tojo sem ser notado.

O acampamento estava silencioso e calmo, apesar do ressonar dos gatos que dormiam. Pata de Fogo rapidamente rastejou pela beira da clareira até o ninho de Presa Amarela. A velha curandeira estava enroscada em sua cama de musgo.

– Presa Amarela – murmurou, num tom de urgência. – Presa Amarela! Acorde, é importante!

Os olhos cor de laranja se abriram e brilharam no luar.

– Eu não estava dormindo – miou tranquilamente a gata, que parecia calma e alerta. – Você veio direto da Assembleia para falar comigo? Isso quer dizer que você ouviu. – Ela pestanejou e olhou para o outro lado. – Então Estrela Partida manteve a promessa.

– Que promessa? – perguntou o aprendiz, confuso. Presa Amarela parecia saber mais do que ele sobre o que estava acontecendo.

– O nobre líder do Clã das Sombras prometeu me expulsar de qualquer território dos clãs – a gata respondeu secamente. – O que ele disse a meu respeito?

– Ele nos advertiu que os filhotes estariam em perigo enquanto déssemos abrigo a uma vilã do Clã das Sombras. Não mencionou seu nome, mas os gatos do Clã do Trovão adivinharam de quem estava falando. Precisa ir embora antes que os outros voltem. Você está em perigo!

– Quer dizer que acreditaram em Estrela Partida? – Presa Amarela abaixou as orelhas e balançou a cauda com raiva.

– Acreditaram! – Pata de Fogo miou, apressado. – Risca de Carvão disse que você é perigosa. Os outros gatos estão com medo do que você possa fazer. Garra de Tigre está planejando voltar e... não sei... Acho melhor você ir embora antes que ele chegue!

Ao longe, Pata de Fogo escutava os gritos de gatos zangados. Presa Amarela, obstinada, tentou ficar de pé. O aprendiz deu-lhe um pequeno empurrão para ajudá-la a se levantar. Sua cabeça rodopiava com tantas perguntas. – O que Estrela Partida quis dizer quando nos advertiu para vigiar de perto os filhotes? – não pôde deixar de perguntar. – Você faria mesmo alguma coisa assim?

– Eu *o quê*?

– Maltrataria nossos filhotes?

Presa Amarela dilatou as narinas e olhou firme para Pata de Fogo. – *Você* acha isso?

Eles se encararam sem vacilar. – Não. Não acredito que você tivesse a coragem de machucar um filhote. Mas por que Estrela Partida diria uma coisa dessas?

O barulho dos gatos se aproximava e, com ele, odores de agressão e raiva. Presa Amarela olhava assustada de um lado para outro.

– Vá! Vá logo! – Pata de Fogo a apressou. A segurança de Presa Amarela era mais importante do que a curiosidade dele.

Mas a gata permaneceu onde estava e o fitou. De repente, um ar de calma tomou conta de seus olhos. – Pata de Fogo, você acredita que sou inocente e agradeço por isso. Se *você* acredita em mim, talvez os outros também acreditem. Sei que Estrela Azul é justa e vai me ouvir. Não posso fugir para sempre. Sou velha demais. Vou ficar aqui e enfrentar a decisão do seu clã. – Ela suspirou e deixou o corpo cair em seus quadris ossudos.

– Mas, e Garra de Tigre? E se ele...?

– Ele é cabeça-dura e sabe o poder que exerce sobre os outros gatos do clã, que o admiram. Mas até ele vai obedecer Estrela Azul.

O farfalhar na vegetação além das fronteiras do acampamento indicava que os felinos estavam quase na entrada.

– Vá embora, Pata de Fogo – sibilou Presa Amarela, mostrando-lhe os dentes escurecidos. – Não arrume problemas para você por estar aqui comigo agora. Não há nada que possa fazer por mim. Confie na sua líder e deixe que ela decida qual será o meu fim.

Pata de Fogo percebeu que Presa Amarela estava decidida. Tocou com o nariz a pelagem maltratada da gata e, em silêncio, penetrou nas sombras para observar.

Pelos tojos vinham os gatos, Estrela Azul à frente, acompanhada de Coração de Leão, com Pele de Geada e Pele de Salgueiro logo atrás. Pele de Geada se afastou da tropa e correu até o berçário, com a pelagem da cauda eriçada em alerta. Garra de Tigre e Risca de Carvão entraram pela clareira, ombro a ombro, caras amarradas. Os outros vinham atrás; os últimos eram Pata Negra e Pata Cinzenta. Assim que viu os amigos, Pata de Fogo foi encontrá-los.

– Você foi avisar Presa Amarela, não foi? – Pata Cinzenta perguntou baixinho.

– Fui, sim – Pata de Fogo admitiu. – Mas ela não vai embora. Confia que Estrela Azul vai tratá-la com justiça. Alguém sentiu a minha falta?

– Só nós – Pata Negra respondeu.

Os gatos que tinham ficado no acampamento começaram a acordar. Deviam ter percebido o cheiro de agressão e ouvido a tensão nas vozes dos felinos que voltavam, pois todos chegaram correndo à clareira, de caudas levantadas.

– O que aconteceu? – perguntou um guerreiro malhado chamado Vento Veloz.

– Estrela Partida exigiu direitos de caça para o Clã das Sombras no nosso território! – explicou Rabo Longo em voz alta para que todos os gatos ouvissem.

– E nos advertiu sobre uma vilã que vai machucar nossas crianças – acrescentou Pele de Salgueiro. – Deve ser Presa Amarela!

Miados de raiva e ansiedade surgiram na multidão.

– Silêncio! – ordenou Estrela Azul, subindo na Pedra Grande. Instintivamente, os gatos se posicionaram diante da líder.

Um grito agudo e alto fez todos virarem a cabeça na direção da árvore caída onde os anciãos dormiam. Garra de Tigre e Risca de Carvão arrastavam Presa Amarela do ninho com brutalidade. Ela guinchava furiosamente enquanto a puxavam até a clareira, para deixá-la em frente à Pedra Grande. Pata de Fogo sentiu a tensão tomar conta de cada músculo do seu corpo. Sem pensar, agachou, pronto para pular nos perseguidores de Presa Amarela.

– Espere, Pata de Fogo – falou Pata Cinzenta no ouvido do amigo. – Deixe que Estrela Azul cuide disso.

– O que está acontecendo? – perguntou a líder, pulando da Pedra Grande e encarando os guerreiros. – Não dei nenhuma ordem para atacarem nossa prisioneira.

Garra de Tigre e Risca de Carvão imediatamente soltaram Presa Amarela, que se agachou na terra, reclamando e cuspindo.

Pele de Geada, chegando do berçário, abriu caminho e colocou-se à frente dos gatos. – Chegamos a tempo – miou com voz assustada. – Os filhotes estão a salvo!

– Claro que estão! – disparou Estrela Azul.

Pele de Geada pareceu surpresa. – Mas... você *vai* expulsar Presa Amarela, não vai? – miou, com os olhos azuis arregalados.

– Expulsar Presa Amarela? – disparou Risca de Carvão, mostrando as garras. – Devemos matá-la agora!

Estrela Azul fixou os olhos azuis penetrantes na cara zangada de Risca de Carvão. – E o que ela fez? – a líder perguntou, com uma calma glacial.

Pata de Fogo prendeu a respiração.

– Você estava na Assembleia! Estrela Partida disse que ela... – começou Risca de Carvão.

– Estrela Partida disse apenas que existe uma vilã em algum lugar da floresta – miou Estrela Azul, com a voz tranquila, mas ameaçadora. – Ele não mencionou o nome de Presa Amarela. Os filhotes estão a salvo. Enquanto estiver no meu clã, ela não será maltratada de forma alguma.

As palavras foram recebidas com silêncio e Pata de Fogo respirou aliviado.

Presa Amarela olhou para Estrela Azul e estreitou os olhos, com respeito – Se você quiser, vou embora agora, Estrela Azul.

– Não é necessário. Você nada fez de errado. Estará a salvo aqui. – A líder olhou para a multidão que rodeava Presa Amarela e miou: – Está na hora de discutirmos a real ameaça ao nosso clã: Estrela Partida. Já começamos a nos preparar para um ataque do Clã das Sombras – Estrela Azul começou. – Vamos continuar com os preparativos e patrulhar nossas fronteiras com mais frequência. O Clã do Vento se foi. O Clã do Rio concedeu direitos de caça para os guerreiros do Clã das Sombras. O Clã do Trovão está sozinho contra Estrela Partida.

Um murmúrio de desconfiança correu entre todos, e Pata de Fogo, ansioso, sentiu a pelagem eriçar.

– Então não vamos concordar com as exigências de Estrela Partida? – miou Garra de Tigre.

– Os clãs nunca partilharam direitos de caça – respondeu Estrela Azul. – Sempre conseguiram se manter nos próprios territórios. Não há razão para isso mudar. – Garra de Tigre aprovou com a cabeça.

– Mas temos condições de nos defender contra um ataque do Clã das Sombras? – perguntou a voz trêmula de Orelhinha. – O Clã do Vento não conseguiu! O Clã do Rio não vai sequer tentar!

Estrela Azul fitou os velhos olhos do guerreiro. – Precisamos tentar. Não vamos desistir do nosso território sem luta.

Por toda a clareira Pata de Fogo viu os gatos demonstrando concordância.

– Irei até a Pedra da Lua amanhã – anunciou Estrela Azul. – Os guerreiros do Clã das Estrelas vão me dar a força de que preciso para liderar o Clã do Trovão nestes tempos sombrios. Vocês todos agora precisam descansar. Todos temos muito o que fazer quando amanhecer. Agora quero falar com Coração de Leão. – Sem mais nada dizer, virou-se e foi em direção à sua toca.

Pata de Fogo notou o olhar de admiração de alguns felinos quando Estrela Azul mencionou a Pedra da Lua. Os gatos do clã rapidamente se reuniram em grupos, miando baixinho, agitados.

– O que é a Pedra da Lua? – Pata de Fogo perguntou a Pata Cinzenta.

– É uma rocha que fica sob a terra e que brilha no escuro – respondeu o amigo. Sua voz estava rouca de espanto. – Todos os líderes de clã precisam passar uma noite na Pedra da Lua quando são escolhidos. Lá, os espíritos do Clã das Estrelas falam com eles.

– Falam *o quê*?

Pata Cinzenta franziu a testa. – Não sei – admitiu. – Só sei que os novos líderes precisam dormir perto da pedra e, enquanto dormem, têm sonhos especiais. Depois disso, recebem o dom das nove vidas e o nome de "estrela".

Pata de Fogo observou Presa Amarela retornar mancando para seu ninho à sombra. Parecia que o tratamento ríspido de Garra de Tigre tinha piorado suas velhas feridas. Ao voltar para a toca dos aprendizes, Pata de Fogo decidiu que, pela manhã, ia pedir a Folha Manchada mais sementes de papoula.

– Então, o que aconteceu? – miou Pata de Poeira, ansioso, colocando a cabeça para fora da toca. Parecia ter esquecido suas diferenças com o novo aprendiz na ansiedade de saber sobre a Assembleia.

– É como Rabo Longo disse. Estrela Partida exigiu direitos de caça... – começou Pata Cinzenta.

Pata de Areia e Pata de Poeira sentaram e ouviram, mas Pata de Fogo observava o acampamento. Via as silhuetas de Estrela Azul e de Coração de Leão que, sentados lado a lado, na toca da líder, conversavam e pareciam preocupados.

Então percebeu a pequena forma de Pata Negra na entrada da toca dos guerreiros, Garra de Tigre ao lado. Viu as orelhas de Pata Negra abaixarem de susto diante da ferocidade do guerreiro, que se debruçava sobre o pequeno gato, duas vezes maior do que ele, com seus olhos e dentes brilhando ao luar. O que estaria dizendo? Pata de Fogo estava quase se aproximando para ouvir quando Pata Negra recuou, virou-se e, correndo, atravessou a clareira.

Pata de Fogo cumprimentou Pata Negra que chegou à toca, mas o amigo mal o notou, entrando sem dizer palavra.

Pata de Fogo se levantou para segui-lo quando viu que Coração de Leão se aproximava.

– Bem – miou o representante do Clã do Trovão, dirigindo-se, em passadas ágeis, até os aprendizes. – Parece que Pata de Fogo, Pata Cinzenta e Pata Negra vão passar a um estágio importante do treinamento.

– Qual? – perguntou, empolgado, Pata Cinzenta.

– Estrela Azul quer que os três a acompanhem na jornada até a Pedra da Lua! – disse Coração de Leão sem deixar de perceber o desapontamento no rosto de Pata de Poeira e de Pata de Areia, pois acrescentou: – Vocês dois não se preocupem; seu dia logo chegará. Por enquanto, o Clã do Trovão precisa da força e da habilidade de vocês no acampamento. Eu também vou ficar aqui.

Pata de Fogo olhou para Coração de Leão e depois para a líder. Ela ia de grupo em grupo de guerreiros, passando instruções. Por que o havia escolhido para a viagem? – pensava.

– Ela quer que vocês descansem agora – continuou Coração de Leão. – Mas, primeiro, devem ir até Folha Manchada pegar as ervas de que vão precisar para a expedição. É um longo caminho. Vão necessitar de alguma coisa para lhes dar força e reduzir seu apetite. Haverá pouco tempo para caçar.

Pata Cinzenta aquiesceu; Pata de Fogo desviou o olhar de Estrela Azul e também meneou a cabeça.

– Onde está Pata Negra? – perguntou Coração de Leão.

– Já está no ninho – respondeu Pata de Fogo.

– Ótimo. Deixem que durma. Vocês podem apanhar as ervas para ele – miou Coração de Leão. – Descansem bem. Partirão ao amanhecer. – Sacudiu a cauda e voltou para a toca de Estrela Azul.

– Bem – miou Pata de Areia. – É melhor então irem falar com Folha Manchada.

Pata de Fogo prestou atenção para ver se notava algum amargor na voz da gata, mas não havia. Não era hora para ciúmes. Todos os gatos do clã pareciam estar unidos contra as ameaças do Clã das Sombras.

Pata de Fogo e Pata Cinzenta foram depressa até a toca de Folha Manchada. O túnel de samambaias estava escuro. Nem mesmo a lua cheia conseguia penetrar na cobertura espessa.

A curandeira parecia esperar por eles quando surgiram na clareira iluminada pela lua. – Vieram buscar as ervas para a viagem – ela miou.

– Sim, obrigado – respondeu Pata de Fogo. – E acho que Presa Amarela precisa de mais sementes de papoula. Parece que as feridas a estão incomodando.

– Vou levar algumas para ela depois que vocês saírem. As ervas da viagem já estão prontas.

Folha Manchada indicou uma pilha de maços de ervas cuidadosamente amarrados. – Há suficiente para os três. A erva verde-escura vai evitar que sintam fome durante a viagem. A outra lhes dará força. Devem comer as duas um pouco antes de sair. Não são tão gostosas quanto presa fresca, mas o sabor não vai durar muito tempo.

– Obrigado, Folha Manchada – miou Pata de Fogo, inclinando-se para pegar um dos pacotes. Quando ele abaixou a cabeça, Folha Manchada se esticou e delicadamente esfregou o focinho na bochecha do aprendiz. Pata de Fogo sentiu seu cheiro doce e quente e ronronou em agradecimento.

Pata Cinzenta pegou os outros dois pacotes e os amigos voltaram através do túnel.

– Boa sorte! – desejou a curandeira. – Viajem em paz!

Chegaram à entrada da toca dos aprendizes e largaram os pacotes.

– Espero que essas ervas não tenham um gosto ruim demais! – murmurou Pata Cinzenta.

– Deve ser uma longa caminhada até a Pedra da Lua. Nunca nos deram ervas antes. Você sabe onde é? – perguntou Pata de Fogo.

– Além do território do clã, em um lugar chamado Pedras Altas. Fica sob o chão, em uma caverna que chamamos Boca da Terra.

– Você nunca esteve lá? – perguntou Pata de Fogo, impressionado por Pata Cinzenta saber tanto a respeito daquele lugar misterioso.

– Nunca, mas todos os aprendizes precisam fazer a viagem antes de se tornarem guerreiros.

Esse pensamento fez os olhos de Pata de Fogo brilharem de empolgação, e ele não pôde evitar uma certa altivez.

– Não eleve muito suas esperanças. Ainda temos de acabar o treinamento – disse Pata Cinzenta, como se lesse os pensamentos do amigo.

Através da coberta de folhas, Pata de Fogo olhou para as estrelas no céu escuro. A lua alta tinha passado. – Precisamos dormir um pouco – miou. Mas pensou que seria muito difícil pegar no sono com a aventura do dia seguinte rodando na cabeça. Ir à Assembleia, fazer a viagem até a Pedra da Lua – como parecia distante agora a vida de gatinho de gente!

CAPÍTULO 14

O AR FRIO GELAVA os ossos de Pata de Fogo e a escuridão o envolvia. Ele nada ouvia e o cheiro de mofo da terra úmida lhe inundava as narinas.

De repente surgiu à sua frente uma brilhante bola de luz. Pata de Fogo abaixou a cabeça e apertou os olhos contra o clarão. A luz brilhava fria como uma estrela; então se apagou, desaparecendo tão depressa quanto surgira. De novo na escuridão, ele se viu na floresta. Sentiu-se confortado pelos odores familiares da mata. Ao inalar os cheiros úmidos da vegetação, foi tomado por uma sensação de calma.

Sem aviso, um terrível barulho surgiu das árvores. Pata de Fogo se arrepiou com a gritaria de gatos apavorados saindo dos arbustos. Logo reconheceu a pelagem do Clã do Trovão quando os bichanos passaram correndo por ele. Estava grudado no chão, incapaz de se mexer. Depois apareceram grandes felinos, enormes guerreiros de pelo escuro, com um brilho cruel nos olhos. Vinham estrondosamente na sua direção, esmagando a terra com patas gigantescas e garras de fora. Saindo das sombras, Pata de Fogo escutou um grito desesperado, cheio de dor e raiva. Pata Cinzenta!

Pata de Fogo acordou, aterrorizado. O sonho se desfez; ficou com os ouvidos retumbando e o pelo arrepiado. Quando abriu os olhos, viu Garra de Tigre olhando para dentro da toca. Pata de Fogo levantou-se de um salto, imediatamente em alerta.

– Alguma coisa errada, Pata de Fogo? – perguntou o guerreiro.

– Foi só um sonho – o aprendiz murmurou.

Garra de Tigre olhou-o, intrigado, e então grunhiu: – Acorde os outros. Vamos sair daqui a pouco.

Do lado de fora da toca, o novo dia nascia glorioso e o orvalho se espalhava nas samambaias. Quando o sol estivesse alto, o tempo esquentaria, mas a umidade da manhã lembrava a Pata de Fogo que não estava longe a época das folhas caídas.

Pata de Fogo, Pata Cinzenta e Pata Negra rapidamente engoliram as ervas preparadas por Folha Manchada. Garra de Tigre e Estrela Azul os observavam, prontos para partir. O resto do acampamento ainda dormia.

– Ugh! – reclamou Pata Cinzenta. – Sabia que eram amargas. Por que no lugar dessas ervas não podíamos comer um camundongo gordo e suculento?

– Essas ervas vão mantê-los sem fome por mais tempo – respondeu Estrela Azul. – E deixá-los mais fortes. Temos uma longa jornada pela frente.

– Já comeu as suas? – Pata de Fogo perguntou.

– Não posso comer, pois esta noite vou partilhar sonhos com o Clã das Estrelas na Pedra da Lua. – respondeu Estrela Azul.

Pata de Fogo sentiu uma comichão nas patas quando ouviu essas palavras. Estava louco para começar a jornada. Com a luz do amanhecer e as vozes familiares, o pavor do sonho se fora. Ficara apenas a lembrança da luz brilhante; as palavras de Estrela Azul provocaram nele um novo arrepio de empolgação.

Os cinco gatos passaram pelo túnel de tojos e saíram do acampamento.

Coração de Leão acabava de voltar com uma patrulha e desejou: – Viajem a salvo!

Estrela Azul o cumprimentou respondendo: – Sei que posso confiar em você para manter o acampamento seguro.

Coração de Leão olhou para Pata Cinzenta e, abaixando a cabeça, disse: – Lembre-se de que você é quase um guerreiro. Não se esqueça do que lhe ensinei.

Pata Cinzenta olhou para o mentor com afeição. – Jamais esquecerei, Coração de Leão – miou, esfregando a cabeça contra o pelo dourado do guerreiro.

Voltaram a percorrer a rota na direção das Quatro Árvores. Era a maneira mais rápida de entrar no território do Clã do Vento. As Pedras Altas ficavam adiante.

Quando Pata de Fogo contornou a lateral da vereda na direção da Pedra do Conselho, ainda sentia os odores da Assembleia da véspera. Seguiu os outros gatos pela clareira gramada, subindo a encosta do outro lado, na direção do território do Clã do Vento. À medida que subiam, o terreno cheio de arbustos ficava mais inclinado e mais cheio de pedras, obrigando os felinos a pular de uma para outra na lateral escarpada do penhasco.

Pata de Fogo parou quando chegaram ao alto do morro. À frente deles, avistava-se um extenso planalto. O vento soprava forte e firme, ondeando a grama e dobrando as árvores. O solo era pedregoso; rochas nuas pontilhavam a paisagem aqui e ali.

O ar ainda trazia os odores do Clã do Vento, mas eram cheiros rançosos. Muito mais frescos e alarmantes eram os indícios pungentes deixados pelos guerreiros do Clã das Sombras.

– Todos os clãs têm direito à passagem segura para a Pedra da Lua, mas o Clã das Sombras parece não ter mais nenhum respeito pelo código dos guerreiros; portanto, estejam alertas – advertiu Estrela Azul. – Mesmo assim, não podemos caçar fora do nosso território. Vamos seguir o código dos guerreiros, ainda que o Clã das Sombras o ignore.

O grupo atravessou o planalto enquanto o sol nascia, seguindo as trilhas entre as urzes. Pata de Fogo crescera acostumado a viver sob uma cobertura de árvores. Sem essa sombra, sua pelagem cor de fogo ficava pesada e quente, as costas pareciam queimar. Ele agradecia pela brisa que vinha da floresta.

De repente, Garra de Tigre parou. – Cuidado! – sibilou. – Sinto o cheiro de uma patrulha do Clã das Sombras.

Pata de Fogo e o resto do grupo levantaram o focinho e confirmaram que o cheiro dos guerreiros do Clã das Sombras viajava com o vento.

– Eles estão contra o vento. Não vão saber que estamos aqui se continuarmos a caminhar – miou Estrela Azul. – Mas precisamos nos apressar. Se passarem à nossa frente, vão nos descobrir. Agora não estamos longe da fronteira do território do Clã do Vento.

Apressaram o passo, pulando sobre as rochas, avançando sobre as urzes de cheiro doce. Pata de Fogo dava umas passadas e farejava o ar, olhando por trás dos ombros, atento à patrulha do Clã das Sombras. Mas, aos poucos, o odor foi ficando mais fraco. *Eles devem ter voltado*, pensou, aliviado.

Finalmente chegaram ao extremo do planalto. A paisagem mudara radicalmente, de todo irreconhecível depois de ter sido modificada pelos Duas-Pernas. Trilhas largas de terra cruzavam as campinas verdes e douradas, pontilhadas de pequenos capões, com ninhos dos Duas-Pernas aqui e ali entre os campos. A distância, Pata de Fogo viu um caminho familiar, largo e cinza, e o gosto ácido trazido pela brisa travou sua garganta.

– É o Caminho do Trovão? – perguntou a Pata Cinzenta.

– É, sim. Ele começa no território do Clã das Sombras. Você consegue ver as Pedras Altas atrás dele?

Pata de Fogo olhou no horizonte distante. Num determinado lugar, a terra árida nitidamente se elevava em ponta.

– Então temos de atravessar o Caminho do Trovão?

– Isso mesmo! – miou Pata Cinzenta, com a voz forte e confiante, quase feliz ao deparar com a difícil jornada.

– Vamos! – miou Estrela Azul, avançando. – Podemos estar lá ao nascer da lua, se mantivermos o ritmo.

O grupo seguiu a líder montanha abaixo, afastando-se das desertas zonas de caça do Clã do Vento, na direção do território dos Duas-Pernas, coberto de vegetação.

Mantendo-se perto dos limites, os felinos marchavam. Por uma ou duas vezes Pata de Fogo percebeu cheiro de presa vindo dos arbustos, mas as ervas de Folha Manchada funcionavam bem para cortar o apetite. Ainda sentia o sol quente nas costas, mesmo nas sombras das árvores da fronteira.

Rodearam um ninho dos Duas-Pernas. Ficava numa área ampla de pedra branca e dura, com ninhos menores à volta. Abaixados, os felinos ultrapassaram a cerca que circundava as pedras brancas. Voltaram correndo ao depararem, de repente, com uma barreira de latidos e rosnados.

Cães! O coração de Pata de Fogo quase parou. O gato arqueou as costas, arrepiado do focinho à cauda.

Garra de Tigre olhou através da cerca. – Tudo bem! Estão amarrados! – avisou.

Pata de Fogo olhou para os dois cães cujas patas raspavam o chão de pedra, a menos de dez caudas de distância. Não se pareciam nada com os cachorros de estimação que viviam no jardins dos Duas-Pernas. Esses o encaravam com olhos selvagens, assassinos. Forçavam as guias e se levantavam nas patas traseiras. Grunhiam e latiam, abrindo a boca para revelar dentes enormes, até que a voz de um Duas-Pernas invisível mandou-os calar. Os gatos foram em frente.

O sol estava começando a baixar quando chegaram ao Caminho do Trovão. Estrela Azul mandou-os parar e esperar sob uma cerca. Com os olhos e a garganta reclamando dos odores, Pata de Fogo ficou observando os grandes monstros correndo de lá para cá à sua frente.

– Vamos um de cada vez – ordenou Garra de Tigre. – Primeiro você, Pata Negra.

– Não, Garra de Tigre – Estrela Azul interrompeu. – Devo ir primeiro. Não se esqueça de que esta é a primeira travessia dos aprendizes. Deixe que eu mostro como se faz.

Pata de Fogo fixou o olhar na líder enquanto ela se dirigia à beira do Caminho do Trovão e olhava para cima e para baixo. A gata esperou calmamente que os monstros passassem, um depois do outro, correndo, fazendo ondular sua pelagem. Quando o barulho ensurdecedor parou por um momento, ela atravessou depressa para o outro lado.

– Vá, Pata Negra; você já viu como é – ordenou Garra de Tigre.

Pata de Fogo viu os olhos do amigo se arregalarem de pavor. Sabia exatamente qual era a sensação, pois percebia o próprio cheiro de medo. O pequeno felino preto se dirigiu para a beira da estrada. O lugar estava calmo, mas Pata Negra hesitou.

– Vá! – ordenou Garra de Tigre da margem. Pata de Fogo viu os músculos de Pata Negra se retesarem quando ele se preparava para correr. Foi quando o chão começou a tremer debaixo de suas patas. Um monstro surgiu e passou zunindo. O gato negro se encolheu por um instante, mas logo se lançou em frente e juntou-se a Estrela Azul. Um monstro vindo da outra direção espalhou poeira bem onde suas patas tinham pisado havia apenas uma batida de coração. Com os pelos arrepiados, Pata de Fogo respirou fundo para se acalmar.

Pata Cinzenta teve sorte. Um período de calmaria permitiu que atravessasse a salvo. Chegou a vez de Pata de Fogo.

– É você agora – rosnou Garra de Tigre. Pata de Fogo olhou para Garra de Tigre e depois para o Caminho do Trovão e saiu de sob a cerca. Esperou na beirada, como Estrela Azul havia feito. Um monstro vinha na sua direção. Pata de Fogo olhou para ele. *Depois deste*, pensou, e esperou que a criatura passasse. De repente seu coração pinoteou ao perceber que o monstro tinha se desviado do Caminho do Trovão e vinha quicando pela grama. Bem na direção dele! Um Duas-Pernas gritava por uma abertura na lateral do monstro. Pata de Fogo pulou para trás, garras de fora, empurrado pela tempestade de vento causada pelo monstro dos Duas-Pernas, que passou rugindo, a um bigode de distância. Tremendo, o gato agachou na terra, olhos fixos no monstro, que voltou ao caminho e desapareceu. Com o sangue fervendo nas orelhas, Pata de Fogo percebeu que o Caminho do Trovão estava calmo novamente; correndo como nunca antes em sua vida, atravessou para o outro lado.

– Pensei que você fosse virar presa fresca! – gritou Pata Cinzenta quando Pata de Fogo despencou em cima dele, quase o nocauteando.

– Eu também! – arfou Pata de Fogo, tentando parar de tremer. O gato voltou-se para observar Garra de Tigre disparar na direção deles.

– Esses Duas-Pernas! – desdenhou ao chegar ao outro lado.

– Quer descansar antes de continuar? – perguntou Estrela Azul a Pata de Fogo.

O gato olhou para cima e viu o sol baixo no céu. – Não, estou bem – respondeu. Mas tinha pulado tão freneticamente para fugir do monstro que sentia as patas fracas e doloridas.

Os felinos continuaram a caminhada, Estrela Azul à frente. A terra era mais escura daquele lado do Caminho do Trovão, e a grama, mais áspera sob as patas. À medida que se aproximavam da base das Pedras Altas, a grama dava lugar a um solo árido e rochoso, com alguns trechos de urze. O terreno subia na direção do céu. No alto da colina, rochas denteadas brilhavam, cor de laranja, sob o sol.

Estrela Azul voltou a parar. Escolheu para sentar uma pedra aquecida pelo sol, achatada e larga bastante para que os cinco felinos descansassem, lado a lado.

– Vejam – ela miou, apontando com o nariz na direção da encosta escura. – A Boca da Terra.

Pata de Fogo olhou para cima. O brilho do sol poente o cegou e a encosta ficou envolvida em sombras.

Os gatos esperaram em silêncio. Aos poucos, enquanto o sol se punha nas Pedras Altas, Pata de Fogo começou a decifrar a entrada da caverna, um buraco quadrado e negro que bocejava, sombrio, sob um arco de pedras.

– Vamos esperar até que a lua fique mais alta – miou a líder. – Se tiverem fome, podem caçar; depois, descansem um pouco.

Pata de Fogo ficou satisfeito pela oportunidade de achar comida. Estava faminto. Pata Cinzenta, também com fome, pulou na direção de uma moita de urzes, seguindo o cheiro denso de presa no ar. Pata de Fogo e Pata Negra o seguiram, enquanto Garra de Tigre tomou a direção oposta. Estrela Azul ficou onde estava, sentada imóvel e silenciosa, olhando sem piscar para a Boca da Terra.

Os três aprendizes voltaram com muitas presas frescas. Com Garra de Tigre se agacharam na encosta rochosa e fizeram um banquete. Mas, apesar de a caçada ter sido fácil, nenhum gato falou muito; o ar ainda era pesado, cheio de tensão e ansiedade.

Finalmente os felinos descansaram ao lado da líder, até o calor desaparecer da rocha onde estavam e sombras frias e negras dominarem tudo. Só então Estrela Azul ordenou:

– Venham. Está na hora.

CAPÍTULO 15

ESTRELA AZUL SE levantou e começou a caminhar na direção da Boca da Terra. Garra de Tigre, a seu lado, acompanhava cada passada.

– Venha, Pata Negra – Pata Cinzenta convocou o amigo, ainda sentado na rocha, com olhos fixos nas pedras. Atendendo ao chamado, Pata Negra levantou-se e começou a caminhar devagar. Pata de Fogo percebeu que ele quase não falara durante toda a jornada. *Será que estava apenas preocupado com o Clã das Sombras ou seria algum outro problema?*

Os felinos levaram apenas alguns minutos para alcançar a Boca da Terra. Pata de Fogo, da soleira, olhou para dentro. A escuridão além do arco de pedras era maior do que a da noite mais cheia de nuvens. Estreitou os olhos, tentando adivinhar aonde o túnel ia levar, mas nada conseguiu ver.

Ao lado dele, Pata Cinzenta e Pata Negra, nervosos, esticavam a cabeça para dentro e para fora da entrada. Até Garra de Tigre parecia desconfortável ante o buraco negro.

– Como vamos nos guiar nessa escuridão? – perguntou.

– Vou achar o caminho – respondeu Estrela Azul. – Sigam meu cheiro. Pata Negra e Pata Cinzenta, fiquem aqui fora, de guarda. Pata de Fogo, venha comigo e com Garra de Tigre até a Pedra da Lua.

Pata de Fogo tremeu de emoção. Quanta honra! O gato olhou de viés para Garra de Tigre. O guerreiro, orgulhoso, estava com o queixo levantado, mas o aprendiz farejava nele um certo cheiro de medo, que aumentou quando Estrela Azul deu um passo na direção da escuridão.

Garra de Tigre balançou a cabeça poderosa e seguiu a líder. Depois de um ligeiro aceno aos outros aprendizes, Pata de Fogo seguiu atrás.

Dentro da caverna, seus olhos ainda nada podiam perceber. A escuridão total e absoluta parecia estranha, mas ele ficou surpreso ao ver que não tinha medo. A vontade de descobrir o que havia ali adiante era mais forte.

O ar frio e úmido entrava através do pelo espesso e chegava até os ossos, enrijecendo os músculos. Nem as noites mais frias eram geladas como o ar da caverna. *Este chão jamais conheceu o calor do sol*, pensou Pata de Fogo, tendo sob os pés a rocha lisa como gelo. A cada respiração, um ar congelante enchia seus pulmões, deixando-o zonzo.

O aprendiz seguiu Estrela Azul e Garra de Tigre pela escuridão, guiando-se apenas pelo olfato e pelo tato. Passaram por um túnel que descia cada vez mais, fazendo curvas para um lado, depois para o outro. Os bigodes de Pata de Fogo tocavam a lateral da caverna, indicando-lhe onde andar e onde virar. Seu nariz lhe dizia que Estrela Azul e Garra de Tigre estavam à frente, a apenas uma cauda de distância.

Continuavam andando. *Quanto já percorremos?*, perguntava-se Pata de Fogo, que sentiu uma comichão nos bigodes. O ar nas narinas parecia mais fresco que antes. Voltou a farejar, aliviado por sentir o cheiro do mundo familiar na superfície: turfa, caça e urza. Devia haver um buraco no teto do túnel. – Onde estamos? – miou na escuridão.

– Entramos na caverna da Pedra da Lua – respondeu Estrela Azul docemente. – Espere aqui. Logo vai ser lua alta.

Pata de Fogo sentou na pedra fria e esperou. Ouvia a respiração regular de Estrela Azul e o arfar mais rápido de Garra de Tigre, recendendo a medo.

De súbito, com um clarão mais ofuscante do que o sol poente, a caverna se iluminou. Os olhos de Pata de Fogo estavam bem arregalados depois da escuridão do túnel. Ele logo os fechou ao sentir a luz, branca e fria. Então abriu-os devagar, em fendas estreitas, e perscrutou à frente.

Viu uma rocha brilhante, que cintilava como se fosse feita de incontáveis gotas de orvalho. *A Pedra da Lua!* Pata de Fogo olhou à volta. Na luz fria refletida da pedra, identificou os limites sombrios de uma caverna de teto alto. A Pedra da Lua erguia-se do meio do chão; tinha três caudas de altura.

Estrela Azul olhava para cima, com o pelo completamente branco sob o brilho da Pedra da Lua. Até a pelagem escura de Garra de Tigre brilhava como prata. Pata de Fogo seguiu o olhar da líder. No alto do teto, uma abertura revelava em um estreito triângulo o céu da noite. O luar lançava pelo vão um raio de luz que chegava à Pedra da Lua, fazendo-a cintilar como uma estrela.

Ao seu lado, Pata de Fogo farejou em Garra de Tigre um cheiro de medo crescente, que se tornou dominante. Será que o guerreiro percebia ali alguma coisa a mais, algo realmente perigoso? Captou um movimento rápido, sentiu uma pelagem passar e ouviu os passos de fuga de Garra de Tigre voltando correndo para a entrada.

– Pata de Fogo? – chamou Estrela Azul, calma e tranquila.

– Estou aqui – ele respondeu, nervoso. O que teria amedrontado o guerreiro?

– Estrela Azul? – voltou a chamar o aprendiz, ao não ouvir resposta. Seu coração disparou, fazendo o sangue estrondear nas orelhas.

– Está tudo bem, jovem guerreiro; não tenha medo – murmurou a líder. A voz calma o tranquilizou um pouco. – Acho que Garra de Tigre ficou surpreso com a força da Pedra da Lua. No mundo de cima, Garra de Tigre é um guerreiro destemido e possante, mas, aqui embaixo, onde os espíritos do Clã das Estrelas falam, um gato precisa de outro tipo de força. O que você sente, Pata de Fogo?

O aprendiz farejou o ar com vontade e obrigou-se a relaxar o corpo. – Apenas minha própria curiosidade – admitiu.

– Ótimo – comentou Estrela Azul.

Pata de Fogo voltou a olhar a Pedra da Lua. Os olhos tinham se acostumado ao brilho e ele não estava mais ofuscado. Na verdade, a pedra o deixava calmo. Com um movimento da cauda, lembrou-se do sonho. Era aquela a brilhante bola de luz que tinha visto!

Encantado, Pata de Fogo observou Estrela Azul ir até a pedra e deitar-se ao lado dela. A líder esticou a cabeça e tocou a Pedra da Lua com o focinho. Por um instante, seus olhos azuis cintilaram com o reflexo da pedra, antes que ela os fechasse. Descansou a cabeça sobre as patas; as pálpebras se mexiam, as patas tremiam de vez em quando. *Estaria dormindo?* Então Pata de Fogo se lembrou das palavras de Pata Cinzenta: "os novos líderes precisam dormir perto da pedra e, enquanto dormem, têm sonhos especiais".

Esperou. Ali não fazia tanto frio, mas, mesmo assim, ele tremia. Não tinha a menor ideia de quanto tempo havia passado, mas, de repente, a rocha parou de brilhar. A caverna, mais uma vez, mergulhou na escuridão. Pata de Fogo olhou para a abertura no teto. A lua tinha caminhado, estava fora de vista. Só restavam pequeníssimas estrelas brilhando no breu.

Pata de Fogo só conseguia discernir o leve contorno da líder, deitada ao lado da Pedra da Lua. Queria chamá-la, mas não ousava quebrar o silêncio.

Depois de momentos intermináveis, ela o chamou. – Pata de Fogo? Você ainda está aí? – A voz parecia distante e agitada.

– Estou, Estrela Azul. – Ele percebeu que ela se aproximava.

– Depressa – ela ciciou. Pata de Fogo sentiu a pelagem da líder roçá-lo ao passar. – Precisamos voltar ao acampamento.

Pata de Fogo correu atrás de Estrela Azul, impressionado com a velocidade com que ela se precipitava no meio da escuridão. Seguia seu cheiro às cegas, subindo cada vez mais através do túnel, até que ela o conduziu a salvo para o mundo externo.

Garra de Tigre os esperava na entrada, ao lado de Pata Cinzenta e Pata Negra. O guerreiro tinha a expressão fria e o pelo ligeiramente eriçado; mas estava sentado, imóvel e solene.

– Garra de Tigre – cumprimentou Estrela Azul, sem mencionar a fuga do guerreiro das profundezas.

Ele relaxou um pouco e perguntou: – O que você ficou sabendo?

– Devemos retornar imediatamente ao acampamento – miou brevemente Estrela Azul.

Pata de Fogo percebeu um olhar de desespero nos olhos da líder. Agora voltava-lhe a terrível lembrança do sonho: gatos que fugiam, guerreiros grandes e escuros, o pranto terrível do infortúnio. O aprendiz tentou ignorar o medo gélido que tomava conta de seus músculos e seguiu Estrela Azul quando ela e os outros felinos desceram a encosta sombria, afastando-se da Boca da Terra. Será que a visão do pesadelo estava prestes a se tornar realidade?

CAPÍTULO 16

VOLTARAM PELO CAMINHO por onde tinham vindo. A lua desaparecera por trás de uma barreira de nuvens. Estava escuro, mas ao menos o Caminho do Trovão se aquietara. O único monstro que ouviram parecia estar distante. Os felinos atravessaram juntos, dirigindo-se à fronteira do outro lado.

Pata de Fogo sentia os músculos enrijecendo de cansaço à medida que apressavam o passo. Estrela Azul mantinha um ritmo veloz, com o nariz para a frente e a cauda erguida. Garra de Tigre corria a seu lado. Pata de Fogo vinha um pouco atrás, com Pata Cinzenta; mas Pata Negra não conseguia acompanhar o grupo.

– Mantenha o passo, Pata Negra! – resmungou Pata Cinzenta por sobre o ombro.

Pata Negra hesitou e então avançou, até alcançar os outros dois aprendizes.

– Você está bem? – perguntou Pata de Fogo.

– Estou, sim – resfolegou Pata Negra, sem olhar diretamente para o amigo. – Só um pouco cansado.

Desceram um fosso profundo e subiram do outro lado.

– O que Garra de Tigre disse quando saiu da caverna? – Pata de Fogo miou, tentando não parecer curioso demais.

– Ele queria ter certeza de que ainda estávamos guardando a entrada – respondeu Pata Cinzenta. – Por quê?

Pata de Fogo hesitou, mas perguntou: – Você percebeu algum cheiro esquisito nele?

– Só o cheiro úmido da velha caverna – respondeu Pata Cinzenta, parecendo surpreso.

– Achei que ele estava um pouco nervoso – arriscou Pata Negra.

– Não era o único! – Pata Cinzenta miou, olhando para o gato negro.

– O que você quer dizer com isso? – perguntou Pata Negra.

– É que ultimamente o pelo do seu pescoço se eriça sempre que você o vê – murmurou Pata Cinzenta. – Você quase desmaiou ao vê-lo sair da caverna.

– É que ele me surpreendeu, foi só isso – protestou Pata Negra. – Você tem de admitir que foi meio apavorante lá na Boca da Terra.

– É verdade – concordou o amigo.

Os gatos deslizaram sob uma cerca até uma plantação de milho, que brilhava prateada ao luar, e seguiram o fosso que a circundava.

– Como é lá dentro, Pata de Fogo? – perguntou Pata Cinzenta. – Você viu a Pedra da Lua?

– Vi, sim. Foi impressionante! – Pata de Fogo sentiu o pelo formigar com a lembrança.

Pata Cinzenta lançou-lhe um olhar admirado. – Então é verdade! A rocha realmente brilha sob a terra.

Pata de Fogo não respondeu. Fechou os olhos por um instante, saboreando a imagem da Pedra da Lua, que lhe ofuscava a mente. Foi quando imagens do sonho lhe vieram à cabeça e seus olhos se arregalaram. Estrela Azul tinha razão: precisavam voltar o mais depressa possível.

Mais à frente, Garra de Tigre e Estrela Azul tinham pulado uma cerca, saindo da plantação de milho. Os aprendizes os seguiram, espremendo-se sob a cerca, na trilha de terra. Era o caminho que passava pelo ninho dos Duas-Pernas e pelos cães. Pata de Fogo viu Estrela Azul e Garra de Tigre andando mais à frente, incansáveis, suas silhuetas recortadas contra o horizonte tingido de vermelho. O sol logo surgiria.

– Vejam! – gritou ele para Pata Cinzenta e Pata Negra. Um gato desconhecido tinha pulado na frente dos dois guerreiros.

– É um isolado! – ciciou Pata Cinzenta. Os três aprendizes correram naquela direção.

O estranho era malhado de branco e preto retinto, mais baixo que os guerreiros, mas bem musculoso.

– Este é Cevada! – explicou Estrela Azul, quando eles chegaram. – Ele vive perto do ninho dos Duas-Pernas.

– Olá! – miou o gato. – Faz algumas luas que não vejo nenhum gato do seu clã. Como vai você, Estrela Azul?

– Vou bem, obrigada. E você, Cevada? Como está a caça desde que passamos por aqui a última vez?

– Não tão mal – respondeu o gato, com um brilho amigável no olhar. – Uma coisa boa a respeito dos Duas-Pernas é que você sempre vai achar um monte de ratos perto deles. – O gato preto e branco continuou: – Você parece estar com mais pressa que de costume. Está tudo bem?

Garra de Tigre olhou para Cevada. Um grunhido soou fundo no seu peito. Pata de Fogo viu que o guerreiro ficou desconfiado com a curiosidade do isolado.

– Não gosto de ficar muito tempo longe do meu clã – respondeu Estrela Azul, com delicadeza.

– Como sempre, Estrela Azul, você está ligada ao clã como uma rainha a seus filhotes – observou Cevada, também amigável.

– O que quer, Cevada? – perguntou Garra de Tigre.

Cevada lançou-lhe um olhar reprovador. – Só queria avisar que agora há dois cães aqui. É melhor voltarem pela plantação de milho, em vez de atravessarem o quintal.

– Já sabemos sobre os cães. Nós os vimos mais cedo... – começou, impaciente, Garra de Tigre.

– Agradecemos pelo aviso – interrompeu Estrela Azul. – Obrigada, Cevada. Até a próxima vez.

Cevada balançou a cauda. – Tenham uma viagem segura – miou, voltando para a trilha.

– Venham – ordenou a líder, desviando-se da trilha e passando no meio da grama alta, entre o caminho e a cerca que dava na plantação de milho. Os três aprendizes a seguiram, mas Garra de Tigre hesitou.

– Você confia na palavra de um isolado? – perguntou.

Estrela Azul virou-se e o encarou. – Você prefere enfrentar os cães?

– Estavam amarrados quando passamos por eles mais cedo – observou Garra de Tigre.

– Podem estar soltos agora. Vamos por aqui – miou Estrela Azul. E, passando por baixo da cerca, saiu no campo. Pata de Fogo se esgueirou logo atrás, seguido por Pata Cinzenta, Pata Negra e, finalmente, Garra de Tigre.

A essa altura o sol já tinha aparecido no horizonte. As árvores brilhavam com o orvalho, prometendo um outro dia quente.

Os gatos caminhavam na beira do fosso. Pata de Fogo olhava para baixo na vala profunda, íngreme e cheia de urtigas. Sentia o cheiro de caça. Havia alguma coisa familiar no odor amargo, mas era um cheiro que não sentia havia muito tempo.

Um grito ensurdecedor fez Pata de Fogo se virar. Pata Negra se debatia e arranhava a terra. Alguma coisa tinha segurado sua perna e o puxava para o fosso.

– Ratos! – disparou Garra de Tigre. – Cevada nos enviou para uma cilada!

Antes que pudessem reagir, os cinco felinos foram cercados. Enormes ratos marrons surgiram do buraco, com guinchos estridentes. Pata de Fogo via seus dentes afiados brilhando na luz do amanhecer.

De repente, um deles pulou no ombro de Pata de Fogo. Uma dor aguda o atravessou quando o rato afundou-lhe os dentes na carne. Outro agarrou-lhe a perna entre mandíbulas poderosas.

Pata de Fogo se jogou no chão, contorcendo-se loucamente, tentando se soltar. Sabia que os ratos não eram fortes como ele, mas eram muitos. Gritos, cicios e cusparadas diziam que os outros também tinham sido atacados.

Pata de Fogo reagiu ferozmente com as garras, dilacerando um rato que segurava sua perna. Mas logo outro agarrou-lhe a cauda. Rápido como um raio, acelerado por medo e raiva, Pata de Fogo lutou, atacando os agressores. Virando a cabeça para trás, afundou os dentes no rato que se atirara nos seus ombros. Sentiu na boca os ossos do pescoço do animal se estraçalharem e o corpo amolecer, antes de cair na trilha de terra.

Pata de Fogo arfou de dor quando mais um rato pulou nas suas costas, cravando-lhe os dentes. Pelo canto do olho, percebeu um lampejo de pelo branco passar correndo. Por um momento ficou confuso; então sentiu o rato ser afastado de seu pelo. Virou-se e viu Cevada atirando o roedor no fosso.

Sem hesitar, Cevada olhou à volta e correu na direção de Estrela Azul, que se contorcia no chão, coberta de ratos. Num instante, Cevada abocanhou a espinha de um deles, conseguindo desgrudá-lo da líder com facilidade. Cuspiu o roedor no chão e logo agarrou outro com a boca, enquanto a gata escapulia por baixo dele.

Pata de Fogo correu na direção de Pata Cinzenta, atacado dos dois lados por dois ratos menores. Investiu sobre o que estava mais perto, matando-o com uma mordida. Pata Cinzenta conseguiu se virar e imobilizar o outro no chão com suas garras. Travou o rato com os dentes e o jogou no fosso com toda a força. Ele não voltou.

– Estão fugindo! – Garra de Tigre gritou.

De fato, os outros ratos se refugiaram na segurança da vala. Pata de Fogo ouviu o barulho de pequenas patas descendo pelo buraco, desaparecendo nas urtigas. As mordidas no ombro e na perna traseira doíam bastante. Com cuidado, o aprendiz lambeu a pelagem, molhada e manchada de sangue, cujo cheiro intenso se misturava com o fedor dos ratos.

Pata de Fogo procurou Pata Negra. Pata Cinzenta estava na beira das urtigas encorajando Pata Negra que saía da vala, cheio de lama e dolorido, com um rato pequeno ainda pendurado na cauda. Pata de Fogo pulou e acabou com o roedor rapidamente, enquanto Pata Cinzenta ajudava a puxar o amigo do fundo do fosso.

Pata de Fogo começou a procurar Estrela Azul. Primeiro viu Cevada, no alto do fosso, olhando para baixo, à procura de outros ratos. A líder estava caída ali perto. Alarmado, o aprendiz correu para o lado dela e viu que a pelagem cinza e espessa atrás do seu pescoço estava empapada de sangue. – Estrela Azul? – chamou.

A gata não respondeu.

Um grito furioso fez Pata de Fogo olhar para cima.

Garra de Tigre pulou sobre Cevada, imobilizando-o no chão. – Você nos mandou para uma cilada – rosnou.

– Não sabia que os ratos estavam aqui! – disparou Cevada, arrastando as patas na poeira, lutando para se levantar.

– Por que nos mandou por esse caminho? – cobrou Garra de Tigre.

– Os cães!

– Estavam amarrados quando passamos por eles mais cedo!

– Os Duas-Pernas os soltam à noite para proteger os ninhos. – Cevada arfava, tentando respirar sob as enormes patas do guerreiro.

– Garra de Tigre! Estrela Azul está ferida! – Pata de Fogo avisou.

Imediatamente o guerreiro soltou Cevada, que se levantou e sacudiu a poeira da pelagem. Garra de Tigre foi para o lado de Estrela Azul e cheirou suas feridas.

– Há algo que possamos fazer? – perguntou Pata de Fogo.

– Ela está nas mãos do Clã das Estrelas agora – miou, solene, o guerreiro, dando um passo para trás.

Pata de Fogo, em choque, arregalou os olhos. Garra de Tigre queria dizer que a líder estava morta? Seu pelo se eriçou ao olhar para a gata. Teria sido esse o aviso dos espíritos na Pedra da Lua?

Pata Cinzenta e Pata Negra, aterrorizados, se juntaram a eles ao lado de Estrela Azul. Cevada ficou atrás, esticando o pescoço para ver o que estava acontecendo.

Os olhos de Estrela Azul estavam abertos, mas vidrados, e seu corpo cinza jazia imóvel. Parecia que nem respirava.

– Está morta? – murmurou Pata Negra.

– Não sei. Precisamos esperar para ver – respondeu Garra de Tigre.

Os cinco felinos ficaram aguardando, enquanto o sol começava a subir no céu. Pata de Fogo, em silêncio, pediu ao Clã das Estrelas para proteger a líder, mandá-la de volta para eles.

Foi quando Estrela Azul se mexeu. A ponta da cauda estremeceu e ela ergueu a cabeça.

– Estrela Azul? – miou Pata de Fogo, com a voz tremendo.

– Está tudo bem – disse a gata, com a voz rouca. – Ainda estou aqui. Perdi uma vida, mas não foi a nona.

Pata de Fogo transbordou de alegria. Olhou para Garra de Tigre, esperando ver seu rosto cheio de alívio, mas o guerreiro permanecia inexpressivo.

– Certo – miou Garra de Tigre, em tom de comando. – Pata Negra, arrume teias de aranha para colocar nas feridas de Estrela Azul. Pata Cinzenta, apanhe cravo-da-índia ou cavalinha. – Os dois aprendizes foram correndo. – Cevada, acho melhor você ir embora agora.

Pata de Fogo olhou para o isolado, que tinha lutado tão bravamente para ajudá-los. Queria agradecer-lhe, mas, ante o olhar feroz de Garra de Tigre, não ousou. Em vez de falar, Pata de Fogo apenas dirigiu um aceno de cabeça a Cevada, que pareceu compreender, pois acenou de volta e saiu sem dizer mais nada.

Estrela Azul continuava deitada no chão. – Estão todos bem? – perguntou, com a voz fraca.

Garra de Tigre fez que sim com a cabeça.

Pata Negra voltou, com uma espessa teia de aranha embrulhada na pata esquerda. – Aqui está – miou.

– Posso colocar as teias de aranha nas feridas de Estrela Azul? – Pata de Fogo perguntou a Garra de Tigre. – Presa Amarela me mostrou como se faz.

– Está bem – concordou o guerreiro, que se afastou e voltou a olhar a vala, esticando as orelhas para tentar descobrir se ainda havia ratos por perto.

Pata de Fogo tirou um punhado de teia de aranha da pata do amigo e começou a pressioná-la com força nos machucados de Estrela Azul.

A gata tensionou o corpo com o toque. – Se não fosse por Garra de Tigre, esses ratos teriam me comido viva – reclamou, a voz carregada de dor.

– Não foi Garra de Tigre que a salvou. Foi Cevada – murmurou o aprendiz ao retirar mais teia de aranha de Pata Negra.

– Cevada? – espantou-se Estrela Azul. – Ele está aqui?

– Garra de Tigre o mandou embora – respondeu Pata de Fogo em voz baixa. – Ele acha que Cevada nos enviou para uma cilada.

– E o que você acha? – perguntou a líder, com a voz rouca.

Pata de Fogo não levantou o rosto, concentrado em colocar na ferida o último pedaço de teia de aranha. – Cevada é um isolado. O que ele ganharia nos mandando para uma cilada apenas para depois nos salvar? – ele miou, finalmente.

Estrela Azul abaixou a cabeça e fechou os olhos novamente.

Pata Cinzenta voltou trazendo um pouco de cavalinha. Pata de Fogo mascou as folhas e cuspiu o sumo nas feridas de Estrela Azul. Sabia que aquilo ia debelar a infecção, mas ainda preferia que Folha Manchada estivesse ali, ajudando a curar com seu conhecimento e sua segurança.

– Deveríamos descansar aqui enquanto Estrela Azul se recupera – ponderou Garra de Tigre se aproximando.

– Não – disse a gata. – Devemos voltar ao acampamento. – Contraindo os olhos por causa da dor, levantou-se com esforço. – Vamos continuar.

A líder do Clã do Trovão foi mancando até a beira do campo. Garra de Tigre caminhava a seu lado, o rosto fechado em pensamentos insondáveis. Os aprendizes trocaram olhares ansiosos e seguiram os dois.

– Já faz muito tempo que a vi perder uma vida, Estrela Azul – Pata de Fogo entreouviu Garra de Tigre murmurar. – Quantas você já perdeu?

Pata de Fogo não pôde deixar de ficar surpreso com a curiosidade explícita do guerreiro.

– Esta foi a quinta – respondeu, serena, a líder.

Pata de Fogo retesou as orelhas, mas Garra de Tigre não replicou. Continuou a andar, perdido em pensamentos.

CAPÍTULO 17

O SOL ALTO CHEGOU e foi embora enquanto os felinos passavam pelas antigas zonas de caça do Clã dos Ventos. O silêncio pesado mostrava que ainda estavam deprimidos depois da luta com os ratos. Pata de Fogo tinha arranhões e mordidas por todo o corpo. Viu que Pata Cinzenta mancava, às vezes pulando em três patas para poupar a pata traseira ferida. Mas sua maior preocupação era Estrela Azul, que andava cada vez mais lentamente, mas se recusava a parar e descansar. O rosto triste, crispado de dor, dizia a Pata de Fogo que ela não via a hora de chegar ao acampamento do Clã do Trovão.

– Não se preocupe com os guerreiros do Clã das Sombras – ela miou entre dentes quando Garra de Tigre parou para farejar o ar. – Você não vai encontrar nenhum deles aqui hoje.

Como ela podia ter tanta certeza? – perguntou-se Pata de Fogo.

Escolheram com cuidado o caminho para descer a colina, uma encosta pedregosa que levava às Quatro Árvores e se juntava na trilha conhecida que conduzia ao lar. Era fim de tarde e Pata de Fogo começou a ter saudade de seu ninho e de uma boa porção de presa fresca.

– Ainda sinto o fedor do Clã das Sombras – murmurou Pata Cinzenta para Pata de Fogo quando caminhavam pelas zonas de caça do Clã do Trovão.

– Talvez a brisa o tenha trazido do território do Clã do Vento – sugeriu Pata de Fogo. Ele também sentia o cheiro e seus bigodes tremiam.

De repente, Pata Negra parou e miou baixinho: – Estão ouvindo isso?

Pata de Fogo retesou as orelhas. Primeiro ouviu apenas os sons familiares da floresta – folhas farfalhando, um pombo que arrulhava. Então, sentiu o sangue esfriar. A distância ouviu gritos de uma batalha violenta e uivos agudos de filhotes apavorados.

– Depressa! – clamou Estrela Azul. – É como o Clã das Estrelas me avisou. Nosso acampamento está sendo atacado! – Ela tentou pular para a frente, mas caiu. Levantou-se e prosseguiu, mancando.

Garra de Tigre e Pata de Fogo se apressaram, lado a lado. Pata Cinzenta e Pata Negra os seguiram, com o pelo da cauda eriçado, duas vezes mais espesso que o normal. Pata de Fogo esqueceu a própria dor no caminho para o acampamento. Sua única preocupação era proteger o clã.

Os sons da batalha ficavam cada vez mais altos à medida que ele se aproximava da entrada do acampamento; o fedor do Clã das Sombras lhe enchia as narinas. Estava bem atrás de Garra de Tigre quando os felinos atravessaram o túnel e chegaram à clareira.

Ali depararam com o frenesi do combate, os gatos do Clã do Trovão lutando furiosamente com os guerreiros do Clã das Sombras. Não se viam os filhotes; Pata de Fogo esperava que se encontrassem em segurança, escondidos no berçário. Imaginou que os anciãos mais fracos estivessem protegidos dentro do tronco oco da árvore caída.

Todos os cantos do acampamento pareciam em atividade, cheios de guerreiros. Pata de Fogo viu Pele de Geada e Flor Dourada mordendo um enorme gato cinza e dando-lhe patadas. Mesmo a jovem rainha Cara Rajada lutava, embora estivesse prestes a dar à luz. Risca de Carvão estava atracado com um guerreiro negro numa luta feroz. Três dos anciãos, Orelhinha, Retalho e Caolha, bravamente deitavam as unhas numa gata atartarugada, duas vezes mais rápida e feroz do que eles.

Os felinos que retornavam se lançaram na batalha. Pata de Fogo ocupou-se de uma rainha guerreira malhada, muito maior do que ele, e enfiou-lhe com vontade os dentes na perna. Ela gritou de dor e o atacou com as garras afiadas e os dentes à mostra, pronta para atingir seu pescoço. O aprendiz se contorceu e abaixou para evitar a mordida. A gata não conseguiu acompanhar a velocidade dele que, então, a pegou por trás e jogou no chão. Com as potentes patas traseiras, ele cravou as garras nas costas da oponente, que, urrando de dor, conseguiu se desvencilhar e precipitou-se às carreiras para a densa vegetação que rodeava o acampamento.

Pata de Fogo olhou à volta para ver se Estrela Azul tinha chegado. Apesar dos ferimentos, ela lutava com outro gato malhado. O aprendiz nunca tinha visto a líder em batalha, mas, mesmo ferida, era uma oponente poderosa. Sua vítima tentava escapar, mas Estrela Azul a apertava com tanta firmeza e enfiava-lhe as garras tão ferozmente, que Pata de Fogo entendeu que aquelas cicatrizes iriam permanecer por muitas luas.

Foi quando ele viu um gato branco do Clã das Sombras, de patas pretas retintas, arrastando do berçário um ancião do Clã do Trovão. Pata de Fogo lembrou-se daquelas patas incrivelmente negras que vira na Assembleia. Pé Preto! O representante do Clã das Sombras rapidamente liquidou o ancião, encarregado de cuidar dos filhotes, e invadiu o ninho das amoreiras com uma das enormes patas. Os filhotes gritavam e miavam, indefesos, pois suas mães lutavam na clareira contra os outros guerreiros do Clã das Sombras.

Pata de Fogo se preparava para pular na direção do berçário quando uma garra rasgou dolorosamente seu flanco; virou-se e viu uma gata atartarugada magricela pular em cima dele. Quando o aprendiz bateu no chão, tentou avisar aos outros gatos do clã que os filhotes corriam perigo. Lutando com todas as forças para escapar da agressora, virou a cabeça para olhar o ninho de amoreiras.

Pé Preto já tinha tirado dois filhotes dos berços e se preparava para pegar um terceiro.

Pata de Fogo não pôde ver mais nada, pois a gata atartarugada arranhou-lhe a barriga com as garras afiadas. Ele cambaleou nas patas e se agachou, como se tivesse sido derrotado. O truque já tinha funcionado antes e funcionou agora também. Quando a gata o agarrou, triunfante, e começou a lhe enfiar os dentes no pescoço, Pata de Fogo deu um pulo para cima, com todo o vigor, e conseguiu jogar longe a oponente. Com um giro rápido, saltou para cima da guerreira, deixando-a sem ar. Dessa vez, não teve compaixão e enfiou os dentes no ombro da gata, que saiu gemendo rumo à vegetação.

Pata de Fogo saltou, correu para o berçário e enfiou a cabeça para dentro. Pé Preto não estava à vista. Dentro do ninho, agachada sobre os filhotes apavorados, estava Presa Amarela, com a pelagem cinza toda salpicada de sangue e um dos olhos terrivelmente inchado. Ela olhou para o aprendiz com um cicio feroz; ao reconhecê-lo, gritou: – Eles estão bem. Vou protegê-los.

Ao vê-la acalmando os filhotes indefesos, Pata de Fogo lembrou-se da terrível advertência de Estrela Partida a respeito da maldade do Clã das Sombras Ele não tinha tempo para pensar sobre aquilo agora. Teria de confiar em Presa Amarela. Assentiu rapidamente com a cabeça e saiu das amoreiras.

Agora havia apenas poucos felinos do Clã das Sombras no acampamento. Pata Negra e Pata Cinzenta lutavam lado a lado, dilacerando um gato negro que acabou fugindo pelos arbustos. Nevasca e Risca de Carvão expulsaram os dois últimos invasores, deixando neles alguns arranhões e mordidas extras.

Pata de Fogo sentou, exausto, e olhou o acampamento devastado. Havia sangue na clareira e chumaços de pelagem no chão. O muro de vegetação do entorno tinha buracos por onde os invasores haviam entrado.

Um a um, os felinos do Clã do Trovão se reuniram sob a Pedra Grande. Pata Cinzenta sentou perto de Pata de Fogo, com os flancos arfando e o sangue pingando de uma orelha rasgada. Pata Negra deixou-se cair e começou a lamber uma ferida na cauda. As rainhas correram até o berçário para se certificar de que os filhotes estavam bem. Pata de Fogo ficou aguardando ansioso que elas voltassem, pois nada conseguia ver com os outros felinos bloqueando-lhe a visão. Acalmou-se ao ouvir gritos e rom-rons de alegria vindos do ninho de amoreiras.

Pele de Geada voltou abrindo caminho entre a multidão, seguida por Presa Amarela. A rainha branca deu um passo à frente e disse: – Nossos filhotes estão todos a salvo, graças a Presa Amarela. Um guerreiro do Clã das Sombras matou a brava Cauda Cor-de-Rosa e estava tentando tirar os filhotes do ninho, mas Presa Amarela o expulsou.

– Não era um guerreiro qualquer do Clã das Sombras – destacou Pata de Fogo, querendo que o clã soubesse quanto todos deviam a Presa Amarela. – Eu o vi. Era Pé Preto.

– O representante do Clã das Sombras! – miou Cara Rajada, que lutara tão bravamente para proteger os bebês que estava carregando na barriga.

O grupo se agitou quando Estrela Azul, mancando, deu um passo à frente, na direção dos aprendizes. A expressão séria da líder bastou para Pata de Fogo perceber que alguma coisa estava errada.

– Folha Manchada está com Coração de Leão – disse baixinho. – Ele foi ferido na batalha, e parece grave. – A líder virou a cabeça na direção da sombra do outro lado da Pedra Grande, onde jazia o guerreiro, um fardo inerte de pelo dourado cheio de terra.

Um grito abafado surgiu na garganta de Pata Cinzenta, que correu na direção de Coração de Leão. Folha Manchada, até então debruçada sobre o representante do clã, afastou-se para que o jovem aprendiz lambesse o mentor pela última vez. Quando o grito de dor de Pata Cinzenta ecoou na clareira, o pelo de Pata de Fogo formigou, tornando-se frio o sangue que lhe corria nas veias. Era o grito que ouvira em sonho! Por um momento, sua cabeça girou; depois, ele se sacudiu. Precisava ficar calmo, para o bem de Pata Cinzenta.

Pata de Fogo olhou para Estrela Azul, que acenou para ele afirmativamente, e caminhou até o amigo, perto da Pedra Grande, parando por um instante ao lado de Folha Manchada.

A curandeira parecia exausta e tinha os olhos cheios de tristeza. – Não posso ajudar Coração de Leão agora – disse ela em voz baixa. – Ele está prestes a se juntar ao Clã das Estrelas. – Ela apertou o corpo contra o flanco do jovem, que se sentiu confortado pelo toque da pelagem quente.

Os outros felinos olhavam em silêncio enquanto o sol se punha devagar atrás das árvores. Enfim, Pata Cinzenta sentou e anunciou: – Ele se foi! – Dizendo isso, deitou-se ao lado do corpo de Coração de Leão e descansou a cabeça nas patas dianteiras. O resto do clã se aproximou em silêncio para prestar as últimas homenagens ao amado representante.

Pata de Fogo se juntou ao grupo. Lambeu o pescoço de Coração de Leão e murmurou: – Obrigado por sua sabedoria. Você me ensinou muita coisa. – Então, sentou ao lado de Pata Cinzenta e começou a lamber com carinho as orelhas do amigo.

Estrela Azul esperou até que os outros felinos saíssem antes de se aproximar. Pata Cinzenta não parecia nem sequer notar a presença da líder. Pata de Fogo desviou o olhar quando a gata disse as últimas palavras para o velho amigo.

– Ah! O que vou fazer sem você, Coração de Leão? – sussurrou, antes de voltar mancando para sua toca. Agachou-se do lado de fora, com o olhar triste perdido na distância. Nem tentou lamber e limpar a pelagem machucada e manchada de sangue. Pela primeira vez, Pata de Fogo viu a líder parecer completamente derrotada. Um arrepio percorreu o seu corpo.

Ficou ali sentado com Pata Cinzenta e Coração de Leão até a lua alta. Pata Negra se achegou e, juntos, fizeram companhia ao amigo em sua tristeza. Garra de Tigre aproximou-se e lambeu Coração de Leão rapidamente. Pata de Fogo esperou para ouvir as palavras que ele diria ao companheiro, mas o guerreiro permaneceu em silêncio enquanto lambia a pelagem machucada. Pata de Fogo ficou confuso ao perceber que os olhos do felino pareciam fixos em Pata Negra, e não no representante morto.

Folha Manchada percorreu o acampamento com passadas suaves, cuidando dos ferimentos e dos nervos abalados. Pata de Fogo viu que ela se aproximou duas vezes de Estrela Azul, mas a líder mandou que ela se ocupasse dos outros felinos. Apenas quando a curandeira havia cuidado de todos os outros gatos, Estrela Azul permitiu que tratasse de suas mordidas e arranhões.

Quando terminou, Folha Manchada voltou à sua toca. Estrela Azul se levantou e caminhou lentamente até a Pedra Grande. Os gatos do clã pareciam estar esperando por ela. Assim que a líder se colocou no lugar de sempre, eles começaram a se juntar na clareira, silenciosos e sombrios, o que não era habitual.

Pata de Fogo e Pata Negra se esticaram e se juntaram ao grupo, deixando Pata Cinzenta para trás, com o corpo de Coração de Leão. O aprendiz cinza ainda estava deitado com o focinho apoiado na pelagem cada vez mais fria do mentor. Pata de Fogo imaginou que, dessa vez, Estrela Azul desculparia a ausência de Pata Cinzenta na reunião.

– Já é quase lua alta – miou Estrela Azul quando Pata de Fogo se colocou perto de Pata Negra. – E, mais uma vez, é meu dever – muito, muitíssimo mais cedo do que eu pretendia – indicar o novo representante do Clã do Trovão – disse a líder, com a voz cansada e abalada pela tristeza.

Pata de Fogo fitou guerreiro por guerreiro. Estavam todos olhando para Garra de Tigre, cheios de antecipação. Até Nevasca tinha se virado para observar o gato malhado. Pela expressão ousada que trazia no rosto e pela expectativa que vibrava nos seus bigodes, Garra de Tigre, pelo visto, concordava com eles.

Estrela Azul respirou fundo e continuou: – Digo essas palavras diante do corpo de Coração de Leão, para que seu espírito possa ouvi-las e aprovar minha escolha. – Ela hesitou. – Não me esqueci de como um gato vingou a morte de Rabo Vermelho e nos trouxe seu corpo de volta. O Clã do Trovão precisa agora, mais do que nunca, dessa lealdade destemida. – A líder fez uma nova pausa e anunciou em voz alta e clara: – Garra de Tigre será o novo representante do Clã do Trovão.

Ouviu-se um grito de aprovação, destacando-se as vozes de Risca de Carvão e de Rabo Longo. Sentado calmamente, com os olhos fechados e a cauda enrolada à sua volta, Nevasca balançava a cabeça lentamente, em aprovação.

Com os olhos semiabertos, Garra de Tigre levantou o queixo com orgulho, ouvindo as manifestações do clã. Então, andou devagar no meio da multidão, aceitando os cumprimentos com econômicos acenos de cabeça, e pulou para a Pedra Grande, colocando-se ao lado de Estrela Azul. – Clã do Trovão! Estou honrado em aceitar o cargo de representante. Jamais esperei chegar a posição tão alta, mas, pelo espírito de Coração de Leão, prometo servir a vocês da melhor maneira possível – disse Garra de Tigre, que solenemente se curvou, fixando os olhos grandes e amarelos na multidão; em seguida, pulou da Pedra Grande.

Pata de Fogo, ao ouvir Pata Negra a seu lado murmurar "Ah, não!", virou-se, curioso, para o amigo.

Pata Negra estava de cabeça baixa e sussurrou: – Ela nunca devia tê-lo escolhido!

– Você está se referindo a Garra de Tigre? – Pata de Fogo perguntou baixinho.

– Ele quer ser representante desde que cuidou de Rabo Vermelho – miou Pata Negra, calando-se de repente.

– Como assim, cuidou de Rabo Vermelho? – perguntou Pata de Fogo, com mil dúvidas na cabeça. O que Pata Negra sabia? Seria verdadeiro o relato da batalha contra o Clã do Rio que ele contara na Assembleia? Seria *Garra de Tigre* o culpado da morte de Rabo Vermelho?

CAPÍTULO 18

– VOCÊ ESTÁ CONTANDO A Pata de Fogo como protegi Rabo Vermelho?

Pata de Fogo sentiu um arrepio gelado ondear a pelagem atrás do pescoço.

Pata Negra ficou agitado, com os olhos arregalados de medo. Garra de Tigre debruçou-se sobre eles, mostrando os dentes em um rosnado ameaçador.

Pata de Fogo deu um pulo e encarou o novo representante. – Ele estava dizendo que gostaria que você tivesse ficado aqui para tomar conta de Coração de Leão também, só isso! – miou, raciocinando rápido.

O guerreiro olhou de um para o outro e se afastou lentamente. Os olhos verdes de Pata Negra nublaram-se de pavor; ele começou a tremer sem controle.

– Pata Negra? – miou, alarmado, Pata de Fogo.

Mas o amigo nem sequer levantou o olhar. Com a cabeça baixa, aproximou-se lentamente de Pata Cinzenta e agachou-se perto dele, apertando o corpo magro na pelagem espessa do companheiro, como se, de repente, sentisse frio.

Pata de Fogo olhou desolado para os dois amigos, aconchegados ao lado do corpo de Coração de Leão. Sem saber o que fazer, também se aproximou e juntou-se aos outros aprendizes, pronto para passar ali toda a noite.

À medida que a lua se movia no céu, os outros felinos se uniram na vigília. Por último chegou Estrela Azul, quando o acampamento já estava calmo e tranquilo. Em silêncio, sentou um pouco afastada, fitando o representante morto com uma expressão tão triste que Pata de Fogo teve de desviar o olhar.

Ao amanhecer, um grupo de anciãos foi buscar o corpo de Coração de Leão para levá-lo ao local do enterro. Pata Cinzenta os seguiu para ajudar a cavar a sepultura onde o grande guerreiro iria descansar.

Pata de Fogo bocejou e se espreguiçou. Estava gelado até os ossos. A estação das folhas caídas se aproximava e a floresta estava coberta de neblina; mas, acima das folhas, o aprendiz viu o céu rosado do amanhecer. Observou Pata Cinzenta desaparecer com os anciãos na vegetação cheia de orvalho.

Pata Negra levantou-se e voltou correndo para a toca dos aprendizes. Pata de Fogo o seguiu devagar e o encontrou enroscado, com o focinho sob a cauda, como se dormisse.

Pata de Fogo estava cansado demais para falar. Ajeitou o musgo na cama e se acomodou para um longo sono.

– Levantem-se!

Pata de Fogo escutou Pata de Poeira chamando na entrada da toca e abriu os olhos. Pata Negra já estava sentado, com as orelhas eriçadas. Pata Cinzenta, a seu lado, não parava de se mexer. Pata de Fogo ficou surpreso ao se deparar com a forma cinza e familiar. Não ouvira o gato voltar depois do enterro de Coração de Leão.

– Estrela Azul convocou outra reunião – avisou Pata de Poeira, abaixando-se e saindo pelas samambaias.

Os três aprendizes rastejaram para fora da toca quentinha. O sol já não estava a pino e o ar se tornara mais frio. Pata de Fogo tiritava, a barriga roncando. Não se lembrava da última vez que tinha comido e imaginou se teria oportunidade de caçar hoje.

Pata de Fogo, Pata Cinzenta e Pata Negra rapidamente se juntaram à multidão reunida sob a Pedra Grande.

Garra de Tigre, ao lado de Estrela Azul, falava: – Durante a batalha, nossa líder perdeu outra vida. Agora que lhe sobraram apenas quatro das nove vidas, vou nomear um guarda-costas para acompanhá-la o tempo todo. Nenhum gato tem permissão de se aproximar se os guardas não estiverem presentes. – Os olhos cor de âmbar do representante piscaram para Pata Negra e depois para o resto da multidão. – Risca de Carvão e Rabo Longo – continuou, desviando o olhar para os guerreiros –, vocês serão os guarda-costas de Estrela Azul.

Os dois gatos concordaram e sentaram, imponentes.

Estrela Azul falou, e sua voz soou delicada e calma depois do grito de comando do representante: – Obrigada, Garra de Tigre, por sua lealdade. Mas o clã precisa compreender que continuo aqui, a apoiá-lo. Nenhum gato deve hesitar em me procurar, e fico feliz em falar com qualquer um, estando ou não com guarda-costas. – Os olhos faiscaram rapidamente na direção do representante. – Como determina o código dos guerreiros, a segurança do clã é mais importante do que a de qualquer membro individualmente. – Fez uma pausa e seu olhar cor do céu deteve-se rapidamente em Pata de Fogo. – E agora quero convidar Presa Amarela para juntar-se ao Clã do Trovão.

Miados de surpresa se elevaram entre alguns guerreiros. Estrela Azul olhou para Pele de Geada, que acenou, concordando. As outras rainhas olhavam em silêncio.

A líder continuou: – Suas ações na noite passada provaram que ela é corajosa e leal. Se ela o desejar, vamos recebê-la como membro efetivo deste clã.

De onde estava, à beira da multidão, Presa Amarela olhou para a líder do clã e murmurou: – Estou honrada, Estrela Azul, e aceito o convite.

– Ótimo – miou a líder com a voz firme, indicando que o assunto estava encerrado.

Pata de Fogo ronronou de prazer e deu uma cutucada de leve em Pata Cinzenta. Ficou surpreso ao perceber quanto significava para ele a demonstração pública de confiança que Estrela Azul concedera a Presa Amarela.

A líder voltou a falar. – Na noite passada, conseguimos nos defender com sucesso do ataque do Clã das Sombras, mas eles ainda são uma grande ameaça. O trabalho de reparo que começamos nesta manhã vai continuar. As fronteiras serão patrulhadas o tempo todo. Não devemos achar que a guerra acabou.

Garra de Tigre ficou de pé, com a cauda levantada, e olhou para os gatos reunidos abaixo. – O Clã das Sombras atacou enquanto estávamos fora do acampamento – grunhiu. – Escolheram bem o momento. Como sabiam que o acampamento estava indefeso? Eles têm olhos aqui dentro?

Pata de Fogo congelou, horrorizado, quando o guerreiro fixou o olhar cortante em Pata Negra. Alguns felinos seguiram o olhar de Garra de Tigre e fitaram, confusos, o aprendiz, que olhava para o chão, movimentando as patas, nervoso.

O representante continuou: – Ainda falta um pouco para o pôr do sol. Precisamos nos concentrar em reconstruir o acampamento. Enquanto isso, se suspeitarem de alguma coisa, ou de alguém, falem comigo. Estejam certos de que qualquer coisa que me disserem será mantida em sigilo. – Fez um aceno, dispensando o clã; voltou-se e começou a falar baixinho com Estrela Azul.

Os gatos se dispersaram e começaram a se movimentar pelo acampamento, avaliando os danos e formando grupos de trabalho.

– Pata Negra! – chamou Pata de Fogo, ainda chocado com a sugestão maldosa de Garra de Tigre de que o próprio aprendiz teria traído o clã. Mas Pata Negra já tinha ido embora. O amigo o viu oferecendo ajuda a Meio Rabo e a Nevasca, antes de se apressar a catar galhos para tapar os buracos no muro da fronteira. Era evidente que Pata Negra não queria falar.

– Vamos ajudá-lo – sugeriu Pata Cinzenta, com a voz desanimada e exausta e os olhos opacos.

– Vá você. Vou daqui a pouco – respondeu Pata de Fogo. – Primeiro quero ver se está tudo bem com Presa Amarela depois da luta com Pé Preto.

O gato procurou Presa Amarela no ninho, perto da árvore caída. Ela estava esticada na sombra, com um olhar pensativo.

– Pata de Fogo – ronronou ao vê-lo. – Fico feliz que tenha vindo.

– Queria saber se está tudo bem com você.

– Os hábitos antigos duram mais do que os cheiros antigos, não é? – miou Presa Amarela, com um lampejo de sua velha espirituosidade.

– Acho que sim – confessou o aprendiz. – Como se sente?

– Essa antiga ferida da perna voltou a doer, mas vou ficar bem.

– Como conseguiu expulsar Pé Preto? – perguntou Pata de Fogo, incapaz de esconder a admiração.

– Pé Preto é forte, mas não é um lutador inteligente. Foi mais desafiador lutar com você.

Pata de Fogo procurou em vão o brilho de humor nos olhos da gata.

Ela continuou: – Eu o conheço desde que era filhote. Ele não mudou. Tem energia, mas não cérebro.

Pata de Fogo sentou a seu lado e ronronou: – Não me surpreendeu o convite de Estrela Azul para você se juntar ao clã. Você realmente provou sua lealdade na noite passada.

Presa Amarela mexeu a cauda. – Um gato realmente leal talvez lutasse ao lado do seu clã de origem.

– Se fosse assim, eu estaria lutando pelos meus Duas--Pernas! – argumentou Pata de Fogo.

Presa Amarela olhou-o com admiração. – Disse-o bem, meu jovem. Mas você sempre foi um filósofo.

Pata de Fogo ficou triste, pois lembrou-se de que Coração de Leão dizia a mesma coisa. Ele perguntou a Presa Amarela: – Você sente falta do Clã das Sombras?

A gata pestanejou e finalmente miou. – Sinto falta do antigo Clã das Sombras. De como costumava ser.

– Até Estrela Partida se tornar líder? – perguntou, curioso, o aprendiz.

– É – admitiu Presa Amarela, com suavidade. – Ele mudou o clã. – A gata soltou uma risada ofegante. – Ele sempre teve lábia. Se quisesse, poderia fazer você acreditar que um camundongo é um coelho. Talvez por isso eu fosse tão cega às suas falhas – disse a gata, com o olhar distante, perdida nas lembranças.

– Aposto que você não adivinha quem é o novo curandeiro do Clã das Sombras! – miou Pata de Fogo, lembrando-se, de repente, do que soubera na Assembleia. Parecia que muitas luas haviam se passado.

Suas palavras pareceram trazer Presa Amarela ao presente. – Não me diga que é Nariz Molhado? – ela miou.

– Acertou!

A gata balançou a cabeça. – Mas ele não consegue curar o próprio resfriado!

– Foi o que Pata Cinzenta disse! – Por um momento, ronronaram juntos, divertidos. O aprendiz se levantou. – Vou deixá-la descansar agora. Se precisar de mais alguma coisa hoje, é só chamar.

Presa Amarela levantou a cabeça. – Só mais uma coisa, Pata de Fogo; soube que você esteve envolvido em uma luta com ratos. Eles o feriram?

Está tudo bem. Folha Manchada tratou dos meus ferimentos com cravo-da-índia.

– Às vezes, cravo-da-índia não basta para mordidas de ratos. Encontre uma moita de alho selvagem e role em cima dela. Acho que você a encontrará não muito longe da entrada do acampamento. Isso vai extrair qualquer veneno que os ratos tenham deixado. Mas – acrescentou secamente – não creio que seus colegas de toca venham a me agradecer pelo conselho!

– Não faz mal. Eu agradeço! Obrigado, Presa Amarela! – o aprendiz ronronou.

– Vá com cuidado, meu jovem! – A gata manteve o olhar por um instante; então, descansou o queixo sobre as patas dianteiras e fechou os olhos.

Pata de Fogo deslizou sob os galhos que rodeavam o ninho de Presa Amarela e se dirigiu ao túnel de tojos, à procura de alho selvagem. O sol se punha e ele ouviu as rainhas colocando os filhotes para dormir.

– Aonde você pensa que vai? – grunhiu uma voz saída das sombras. Era Risca de Carvão.

– Presa Amarela me disse para ir...

– Não receba ordens daquela vilã! Vá ajudar os outros com os consertos. Nenhum gato deve deixar o acampamento esta noite! – ordenou o guerreiro, chicoteando a cauda de um lado para o outro.

– Está bem, Risca de Carvão – concordou o aprendiz, submisso, abaixando a cabeça. – Saco de Carvão – murmurou baixinho, dando a volta e dirigindo-se aos limites do acampamento, onde viu Pata Cinzenta e Pata Negra ocupados, remendando um grande buraco no muro de vegetação.

– Como está Presa Amarela? – perguntou Pata Cinzenta quando Pata de Fogo se aproximou.

– Está bem. Aconselhou-me a rolar em alho selvagem para neutralizar as mordidas de rato. Estava saindo para achar a moita, mas Risca de Carvão me mandou ficar no acampamento – explicou Pata de Fogo.

– Alho selvagem? – miou Pata Cinzenta. – Gostaria de experimentar. Minha perna ainda está latejando.

– Eu podia sair de fininho e trazer um pouco – ofereceu-se Pata de Fogo, magoado com o modo grosseiro como Risca de Carvão o tratara e gostando da oportunidade de desforra. – Ninguém vai perceber se eu passar por esse buraco aqui. Vai demorar só uns dois pulos de coelho.

Pata Negra franziu a testa, mas Pata Cinzenta concordou num sussurro: – Vamos lhe dar cobertura.

Pata de Fogo agradeceu com o focinho e pulou pelo vão no muro.

Fora do acampamento, dirigiu-se para a moita de alho selvagem, guiado facilmente pelo alerta do cheiro forte. A lua subia no céu cor de violeta e o sol mergulhava no horizonte. Uma brisa fria fazia ondular a pelagem de Pata de Fogo.

De repente ele sentiu um cheiro de gato trazido pelo vento. Com cuidado, farejou. Seria o Clã das Sombras? Não, apenas Garra de Tigre e outros dois felinos. Voltou a farejar o ar. Risca de Carvão e Rabo Longo! O que estariam fazendo ali?

Curioso, o aprendiz colocou-se em posição de tocaia. Esgueirou-se pela vegetação, pata ante pata, mantendo-se a favor do vento para não ser detectado. Os guerreiros estavam na sombra de uma moita de samambaias, com as cabeças bem próximas. Logo Pata de Fogo estava perto bastante para ouvi-los.

– O Clã das Estrelas é testemunha de que meu aprendiz, desde o início, mostrou poucas possibilidades, mas nunca esperei que se tornasse um traidor! – grunhiu Garra de Tigre.

Os olhos de Pata de Fogo se arregalaram, e ele ficou tão espantado que sua pelagem se arrepiou. Pelo visto, Garra de Tigre pretendia fazer mais do que apenas acusar Pata Negra de trair o clã!

– Por quanto tempo você disse que Pata Negra ficou desaparecido durante a viagem até a Boca da Terra? – perguntou Risca de Carvão.

– O suficiente para ter ido até o acampamento do Clã das Sombras e voltar – foi a resposta ameaçadora do representante.

O pelo da cauda de Pata de Fogo se eriçou de raiva: *Isso é impossível! Ele esteve conosco o tempo todo!*, pensou.

A voz de Rabo Longo, agitada, tinha agora um tom mais alto: – Ele deve ter contado a eles que a líder do Clã do Trovão e o guerreiro mais forte tinham saído do acampamento. Por que mais atacariam bem naquela hora?

– Somos o último clã a resistir ao Clã das Sombras. Precisamos permanecer fortes – ronronou Garra de Tigre, num tom de voz agora aveludado. Esperou em silêncio por uma resposta.

Foi Risca de Carvão que se apressou a responder, como se ainda fosse aprendiz de Garra de Tigre e estivesse respondendo a uma pergunta sobre técnicas de caçada. Ao ouvir suas palavras, Pata de Fogo ficou sem ar, de tanto medo. – E o clã estaria em melhor situação sem um traidor como Pata Negra.

– Devo dizer que concordo com você, Risca de Carvão – murmurou Garra de Tigre, com a voz grave de emoção. – Mesmo sendo meu próprio aprendiz... – o guerreiro desconversou, como se estivesse por demais aborrecido para continuar.

Pata de Fogo já tinha ouvido bastante. Esquecendo totalmente o alho selvagem, voltou na direção do acampamento, o mais rápida e silenciosamente possível.

Decidiu não contar a Pata Negra o que tinha ouvido. Ele ficaria apavorado. Pata de Fogo pensava rapidamente. O que poderia fazer? Garra de Tigre era o representante do clã, um grande guerreiro, popular entre os felinos. Ninguém daria importância às acusações feitas por um aprendiz. Mas o amigo estava em grande perigo. Pata de Fogo sacudiu-se, tentando colocar as ideias em ordem. Só havia uma coisa a fazer: contar a Estrela Azul tudo o que ouvira e tentar convencê-la de que estava dizendo a verdade!

CAPÍTULO 19

PATA CINZENTA E PATA NEGRA ainda estavam remendando o buraco quando Pata de Fogo veio ter com eles. Tinham deixado um espaço largo suficiente para o amigo voltar.

– Não tive sorte com o alho – Pata de Fogo arquejava quando entrou de mansinho. – Risca de Carvão estava por lá, à espreita.

– Não faz mal – miou Pata Cinzenta. – Podemos apanhar amanhã.

– Vou conseguir com Folha Manchada um pouco de papoula para você – ofereceu Pata de Fogo, preocupado com o olhar apático do amigo e com seus músculos, que pareciam duros de medo.

– Não, não se preocupe. Vou ficar bem – miou Pata Cinzenta.

– Não custa nada – Pata de Fogo insistiu; antes que o amigo pudesse dizer alguma coisa, rumou para a toca da curandeira.

Folha Manchada circulava na sua pequena clareira, com os olhos nublados de tristeza.

– Tudo bem com você? – perguntou o gato.

– Os espíritos do Clã das Estrelas estão inquietos. Acho que estão tentando me dizer alguma coisa – ela replicou, agitando a cauda sem parar. – Como posso ajudar?

– Acho que Pata Cinzenta ficaria melhor com algumas sementes de papoula para a perna. As mordidas dos ratos ainda estão doendo – explicou o aprendiz.

– A dor da perda de Coração de Leão torna piores as feridas. Mas ele ficará bom a tempo; não se preocupe. Enquanto isso, você tem razão, as sementes de papoula vão ajudar. – Folha Manchada foi até sua toca e pegou uma cabeça seca de papoula, que colocou cuidadosamente no chão. – Dê a ele uma ou duas sementes. Basta sacudir esta cabeça – ela miou.

– Obrigado – agradeceu Pata de Fogo. – Tem certeza de que está bem?

– Vá cuidar do seu amigo – disse a curandeira, evitando o olhar do aprendiz.

Pata de Fogo apanhou a cabeça de papoula entre os dentes e começou a se afastar.

– Espere – Folha Manchada ciciou de repente.

O aprendiz virou-se, esperançoso, e encontrou seu olhar cor de ouro. Ela o fitou com a mesma intensidade.

– Pata de Fogo – ela miou –, o Clã das Estrelas falou comigo, luas atrás, antes de você se juntar ao clã. Sinto que desejam que lhe diga isso agora. Eles dizem que apenas o fogo pode salvar nosso clã.

Pata de Fogo, perplexo, olhou firme para Folha Manchada.

A estranha paixão nos olhos da curandeira esmaeceu.

– Cuide-se, Pata de Fogo – ela miou com seu tom de voz habitual, dando-lhe as costas.

– Até mais – respondeu o gato, hesitante.

Pata de Fogo voltou pelo túnel de tojos, com as estranhas palavras da gata ecoando em sua mente. Mas, para ele, não faziam sentido. Por que partilhara o assunto com ele? Afinal, o fogo era inimigo de todos os que moravam na floresta. Frustrado, sacudiu a cabeça e se dirigiu à toca dos aprendizes.

– Pata Cinzenta! – cochichou Pata de Fogo na orelha do amigo, que dormia. Tinham sido autorizados a descansar por toda a manhã, depois de ter passado a maior parte da noite remendando o muro. Garra de Tigre ordenara que estivessem prontos para começar o treinamento no sol alto. A luz forte e amarela entrando pela toca avisava a Pata de Fogo que já era quase hora.

Ele tivera uma noite agitada. Sonhos invadiam sua mente cada vez que adormecia – sonhos confusos, indistintos, mas cheios de escuridão e ameaça.

– Pata Cinzenta! – voltou a chamar Pata de Fogo. Mas o amigo não se mexia: tinha comido duas sementes de papoula antes de dormir e estava em sono profundo.

– Está acordado, Pata de Fogo? – miou Pata Negra do seu ninho.

Pata de Fogo cuspiu em silêncio. Queria ter falado com Pata Cinzenta antes de Pata Negra acordar.

– Estou, sim! – respondeu.

Pata Negra sentou na cama de musgo e urze e começou a se lavar com rápidas lambidas. – Você vai acordá-lo? – perguntou, apontando para Pata Cinzenta.

Ouviu-se uma voz gutural do lado de fora da toca: – Espero que sim! O treinamento já vai começar!

Pata de Fogo e Pata Negra pularam.

– Pata Cinzenta, acorde! – disse Pata de Fogo, cutucando o amigo. – Garra de Tigre está esperando!

Pata Cinzenta levantou a cabeça; tinha os olhos ainda pesados e sonolentos.

– Já estão prontos? – cobrou Garra de Tigre.

Pata de Fogo e Pata Negra saíram rastejando da toca, piscando ao encontrar a luz do sol.

O representante estava ao lado do toco de árvore. – Onde está o outro?

– Já vem – disse Pata de Fogo, num tom defensivo, para proteger o amigo. – Acabou de acordar.

– O treinamento vai fazer bem para ele – grunhiu o guerreiro. – Já lamentou suficiente.

Pata de Fogo sustentou por alguns instantes o ameaçador olhar cor de âmbar. Pelo espaço de uma batida de coração, guerreiro e aprendiz se olharam como inimigos.

Pata Cinzenta saiu sonolento da toca.

– Estrela Azul estará pronta em um instante, Pata de Fogo – disse Garra de Tigre. As palavras fizeram o aprendiz esquecer a raiva. Sua primeira sessão de treinamento com a líder! Ficou todo empolgado. Achava que sua mentora passaria algum tempo em repouso, por causa dos ferimentos.

– Pata Cinzenta – continuou Garra de Tigre –, você pode se juntar à minha sessão de treinamento. Acha que está apto, Pata Negra? – perguntou o guerreiro com um olhar zangado. – Afinal, você se arranhou nas urtigas enquanto estávamos lutando com aqueles ratos.

Pata Negra olhou para o chão. – Estou bem – miou.

Pata Cinzenta e Pata Negra seguiram o representante e saíram do acampamento.

Pata Negra manteve a cabeça baixa ao desaparecer pelo túnel de tojos.

Pata de Fogo sentou e ficou esperando Estrela Azul, que não demorou muito. A rainha cinza saiu da toca e cruzou a clareira com um andar delicado. A pelagem ainda estava fosca onde os ferimentos eram recentes, mas ela não demonstrava sentir dor no caminhar confiante. – Venha – chamou-o.

Pata de Fogo ficou surpreso de vê-la sozinha. Risca de Carvão e Rabo Longo não estavam por perto. Um pensamento lhe passou pela cabeça e sua empolgação de repente transformou-se em ansiedade – ali estava uma oportunidade para contar à líder o que ouvira na noite anterior.

Ele a alcançou quando ela se dirigia ao túnel de tojos. Colocou-se atrás da gata e, hesitante, perguntou: – Os seus guardas vão se juntar a nós?

Estrela Azul respondeu sem olhar para trás: – Dei ordens a Risca de Carvão e a Rabo Longo para ajudarem nos reparos necessários no acampamento. Nossa prioridade é a segurança da base do Clã do Trovão.

O coração do aprendiz acelerou. Assim que saíssem do acampamento, contaria sobre Pata Negra.

Os dois seguiram a trilha para o vale do treinamento. O caminho estava coberto de folhas douradas recém-caídas, que farfalhavam sob as patas. A mente de Pata de Fogo se acelerou, à procura das palavras adequadas. O que diria à líder? Que Garra de Tigre estava tramando se livrar de seu aprendiz? E o que diria quando Estrela Azul perguntasse o motivo? Conseguiria dizer claramente que suspeitava que Garra de Tigre matara Rabo Vermelho? Mesmo sem provas, a não ser o relato empolgado de Pata Negra na Assembleia?

Quando chegaram ao vale arenoso, Pata de Fogo ainda não tinha falado. O vale estava vazio.

Ao chegar ao centro do vale, Estrela Azul explicou: – Pedi a Garra de Tigre para fazer a sessão de treinamento em outra parte da floresta hoje. Quero me concentrar nas suas habilidades de luta e que *você* se concentre nelas também, o que significa que não deve haver distrações.

Preciso falar com ela agora, pensou o aprendiz. *Ela precisa saber que Pata Negra está correndo perigo*. As patas pinicavam, ansiosas. *Não terei outra oportunidade como esta...*

Pata de Fogo percebeu um movimento súbito com o canto do olho. Um risco cinza passou pelo seu focinho e ele caiu para a frente quando suas patas dianteiras foram derrubadas por uma leve rasteira. Ele vacilou, reequilibrou-se, girou o corpo e viu Estrela Azul sentada calmamente ao seu lado. – Posso ter sua atenção agora? – ela reclamou.

– Claro, Estrela Azul, me desculpe! – apressou-se em responder, fitando-lhe os olhos azuis.

– Assim está melhor. Pata de Fogo, já faz muitas luas que você está conosco. Tenho observado você lutar. Com os ratos, foi ágil; com os guerreiros do Clã das Sombras, foi feroz. Mostrou-se mais esperto que Pata Cinzenta desde o primeiro dia e também derrotou Presa Amarela com sua inteligência. – A líder fez uma pausa e então abaixou a voz num intenso ciciar: – Mas um dia vai encontrar um oponente tão bom quanto você; ágil, feroz e inteligente. É meu dever prepará-lo para esse dia.

Pata de Fogo concordou com a cabeça, de todo envolvido pelas palavras da líder, os sentidos inteiramente despertos. Todos os pensamentos a respeito de Pata Negra e Garra de Tigre haviam desaparecido e os odores de musgo e os pequenos barulhos da floresta o inundavam.

– Vamos ver como você luta – ordenou Estrela Azul. – Ataque-me.

Pata de Fogo a olhou, medindo-a de cima a baixo e imaginando a melhor maneira de começar. Estrela Azul estava a menos de três coelhos de distância. Ela era o dobro dele em tamanho; assim, seria um desperdício de esforço começar com as patadas usuais e os golpes de luta. Mas se conseguisse dar um pulo forte e direto em suas costas, poderia fazê-la perder o equilíbrio. Nem por um momento ela afastara dele os penetrantes olhos azuis. Pata de Fogo pegou impulso e saltou.

A intenção era cair em cheio nos ombros da gata, mas ela estava preparada para o golpe e agachou rapidamente. Ao ser atingida, Estrela Azul rolou e ficou de barriga para cima. Em vez de aterrissar nos ombros dela, ele se esborrachou na barriga da líder. Com as quatro patas, ela o atirou longe com facilidade. O aprendiz sentiu-se como um filhote impertinente despachado sem cerimônia. Seu corpo bateu com força no chão duro e ele ficou ali largado, antes de se pôr de pé de forma desajeitada.

– Estratégia interessante, mas seus olhos deixaram transparecer qual era o alvo – observou Estrela Azul ao se levantar, sacudindo a poeira da pelagem espessa. – Agora, tente de novo.

Dessa vez Pata de Fogo olhou para os ombros da gata, mas o alvo eram as patas. Quando Estrela Azul agachasse, ele a atingiria. Sentiu uma grande satisfação ao pular, mas o sentimento se transformou em confusão quando a líder inesperadamente saltou no ar, deixando-o esborrachar-se no chão onde ela estivera havia apenas uma batida de coração. A gata teve perfeita noção do tempo; quando o aprendiz aterrissou, ela voou para cima dele, deixando-o sem fôlego.

– Agora tente alguma coisa que eu não esteja esperando – ela falou baixinho ao seu ouvido, soltando-se dele e se afastando com um brilho desafiador nos olhos.

Pata de Fogo se levantou, arfando, e sacudiu-se, zangado. Nem Presa Amarela tinha sido tão astuta. Com um silvo, voltou a pular. Dessa vez, ao voar em cima de Estrela Azul, ele esticou as patas dianteiras. Ela ergueu-se nas patas traseiras e, usando as dianteiras, atirou-o longe. Quando se viu escorregando, Pata de Fogo arranhou a areia com as patas de trás, mas era tarde demais, e ele caiu pesadamente de lado.

– Pata de Fogo – miou Estrela Azul calmamente enquanto ele mais uma vez se atrapalhava com as próprias patas –, você é forte e rápido, mas precisa aprender a manter o controle da velocidade e do peso do corpo, para que não seja tão fácil fazê-lo perder o equilíbrio. Tente de novo.

Pata de Fogo se afastou, acalorado, cheio de poeira, ofegante. A frustração tomou conta dele. Estava determinado a levar a melhor dessa vez. Agachou-se devagar e começou a rastejar na direção de Estrela Azul. Ela percebeu o movimento e deu um silvo na cara do gato quando ele chegou perto. O aprendiz levantou uma pata e desferiu um golpe na orelha esquerda da líder. Ela se abaixou para evitar a pancada e, de pé nas patas traseiras, ficou mais alta do que ele. Rapidamente Pata de Fogo ficou de barriga para cima, escorregou para baixo do corpo da gata e, num movimento rápido, chutou-lhe a barriga com as patas traseiras. Estrela Azul foi atirada longe e caiu de costas no chão arenoso, com um uivo gutural.

Pata de Fogo girou no ar e pulou de pé. Estava exultante. Então viu Estrela Azul deitada no chão e, pela primeira vez, lembrou-se de seus ferimentos. Teriam reaberto por causa dele? Correu para o lado da líder e fitou-a. Para seu alívio, ela lhe deu um olhar cheio de orgulho.

– Este foi muito melhor – ela disse, ofegante. Em seguida, levantou-se e sacudiu-se. – Agora é minha vez.

Pulou na direção dele, jogando-o no chão. Afastou-se e deixou-o se levantar antes de pular de novo. Pata de Fogo ficou firme, mas ela voltou a derrubá-lo com facilidade.

– Olhe o meu tamanho, Pata de Fogo! Não tente ficar de pé quando eu atacar. Use a inteligência. Você é rápido bastante para me evitar; então faça isso!

Pata de Fogo se levantou, meio desajeitado, e preparou-se para mais um ataque da gata. Dessa vez não cravou as patas no chão macio, mas ergueu-se ligeiramente, mantendo o peso nos dedos dos pés. Quando Estrela Azul voou na sua direção, ele se desviou, ficou de pé nas patas traseiras e, com as dianteiras, empurrou no ar o corpo dela para trás.

Estrela Azul aterrissou com graça nas quatro patas e se virou – Excelente! Você aprende rápido – ronronou. – Mas esse foi um movimento fácil. Vamos ver como se sai no próximo.

Eles treinaram até o pôr do sol. Pata de Fogo deu um suspiro de alívio quando ouviu Estrela Azul miar: – Chega por hoje. – Ela parecia um pouco cansada e enrijecida, mas ainda conseguiu pular para sair do vale arenoso com facilidade.

Pata de Fogo escalou o vale atrás dela. Tinha os músculos doendo e a cabeça rodando com tudo o que aprendera. Quando, juntos, seguiam a trilha entre as árvores, ele mal podia esperar para contar a Pata Cinzenta e a Pata Negra sobre sua sessão de treinamento. E foi apenas quando chegaram à fronteira do acampamento que Pata de Fogo percebeu que se esquecera de contar a Estrela Azul sobre Pata Negra.

CAPÍTULO 20

Quando Pata de Fogo voltou ao acampamento, este já parecia um pouco melhor. Era evidente que grupos de gatos tinham passado o dia remendando e consertando sem parar. Pele de Geada e Flor Dourada ainda estavam ocupadas, reforçando as paredes do berçário, mas o muro externo voltara a ser sólido e seguro.

Pata de Fogo atravessou a clareira para ver se encontrava alguma presa fresca. Passou por Pata de Areia e Pata de Poeira, que se preparavam para sair na próxima patrulha.

– Desculpe – miou Pata de Areia, enquanto Pata de Fogo farejava, esperançoso, a área de refeições. – Comemos os dois últimos camundongos.

Pata de Fogo deu de ombros. Mais tarde caçaria alguma coisa para comer. Voltou para a toca dos aprendizes, onde encontrou Pata Cinzenta recostado no toco de árvore, lambendo uma pata.

– Onde está Pata Negra? – Pata de Fogo perguntou, sentando-se ao lado do amigo.

– Ainda não voltou, está cumprindo a tarefa – respondeu Pata Cinzenta. – Veja isto! – falou, levantando a pata para o amigo examinar. O curativo estava rasgado e sangrando. – Garra de Tigre me mandou pescar e eu pisei numa pedra pontuda no riacho.

– Parece bem profundo. É melhor pedir a Folha Manchada para dar uma olhada – sugeriu Pata de Fogo. – Por falar nisso, para onde Garra de Tigre mandou Pata Negra?

– Não tenho ideia! Eu estava com água fria até a barriga – murmurou Pata Cinzenta, que se levantou e saiu mancando na direção da toca de Folha Manchada.

Pata de Fogo se instalou e, com os olhos fixos na entrada do acampamento, esperou por Pata Negra. Depois de ouvir a conversa dos guerreiros na noite anterior, não podia afastar o sentimento de que alguma coisa terrível estava para acontecer ao amigo. Seu coração disparou quando viu Garra de Tigre entrar sozinho no acampamento.

Esperou mais um pouco. A lua estava alta no céu. Será que Pata Negra já não tinha voltado? Pata de Fogo lamentou não ter falado com Estrela Azul quando teve oportunidade. Agora, Risca de Carvão e Rabo Longo estavam de guarda na toca da líder e, naturalmente, o aprendiz não queria que soubessem de sua preocupação.

Garra de Tigre trouxera presas frescas e as partilhava com Nevasca no interior da toca dos guerreiros. Pata de Fogo percebeu que estava faminto. Talvez devesse sair para caçar; quem sabe cruzasse com Pata Negra fora do acampamento. Enquanto pensava no que fazer, viu Pata Negra chegando apressado. Sentiu um arrepio de alívio, e não só porque o amigo trazia presa fresca entre os dentes.

O recém-chegado dirigiu-se diretamente a Pata de Fogo e deixou cair o bocado no chão. – O bastante para nós três! – miou, orgulhoso. – E deve ser mais que gostoso... veio do território do Clã das Sombras.

Pata de Fogo engasgou. – Você passou no território do Clã das Sombras?

– Era a minha tarefa – explicou Pata Negra.

– Garra de Tigre mandou você caçar no território inimigo! – Pata de Fogo mal podia acreditar. – Precisamos contar a Estrela Azul. Isso foi perigoso demais!

À menção do nome da líder, Pata Negra balançou a cabeça. Tinha os olhos apavorados, sombreados de medo, e sibilou: – Não diga nada, está bem? Eu sobrevivi! Até consegui alguma presa. Isso é tudo.

– Você sobreviveu *desta vez*! – disparou Pata de Fogo.

– Shhh! Garra de Tigre está olhando. Coma a sua parte e fique quieto! – ralhou Pata Negra. Pata de Fogo deu de ombros e pegou um pedaço de caça. Pata Negra comeu depressa, evitando olhar o amigo. – Devemos guardar um pouco para Pata Cinzenta? – perguntou depois de um tempo.

– Ele foi ver Folha Manchada – Pata de Fogo resmungou com a boca cheia. – Cortou a pata. Não sei quando vai voltar.

– Guarde para ele quanto você quiser – retrucou Pata Negra, parecendo repentinamente esgotado. – Estou cansado; preciso dormir. – Levantou-se e se dirigiu para a toca.

Pata de Fogo ficou do lado de fora, observando o resto do acampamento se preparar para a noite. Tinha de contar a Pata Negra o que ouvira na floresta na noite anterior. O amigo precisava saber que corria perigo.

Garra de Tigre estava deitado ao lado de Nevasca, trocando lambidas, mas com o olho na toca dos aprendizes. Pata de Fogo bocejou para mostrar a Garra de Tigre que estava exausto; então levantou-se e entrou na toca.

Pata Negra estava dormindo, e, pelo tremelicar das patas e bigodes, via-se que estava sonhando. Pata de Fogo sabia que o sonho não era bom, pelos ligeiros miados e pequenos guinchos que o amigo emitia. De súbito, o gato preto se levantou, com os olhos arregalados de pavor. A pelagem estava totalmente arrepiada, as costas em arco.

– Pata Negra! – alarmou-se Pata de Fogo. – Acalme-se. Você está na nossa toca. Só eu estou aqui!

Pata Negra olhou à volta, assustado.

– Sou eu! – Pata de Fogo repetiu.

Pata Negra piscou e pareceu reconhecer o amigo; em seguida, jogou-se no leito.

– Pata Negra – miou, sério, Pata de Fogo. – Há uma coisa que você precisa saber. Uma coisa que ouvi na noite passada quando saí para procurar alho selvagem. – Pata Negra desviou o olhar, ainda tremendo por causa do sonho, mas Pata de Fogo insistiu. – Pata Negra, ouvi Garra de Tigre dizer a Risca de Carvão e a Rabo Longo que você traiu o Clã do Trovão. Afirmou que você escapou sorrateiramente durante a viagem para a Boca da Terra e contou ao Clã das Sombras que o acampamento estava desguardado.

Pata Negra girou o corpo para encarar o amigo. – Mas não fiz isso! – exclamou, horrorizado.

– Claro que não fez! – concordou Pata de Fogo. – Mas Risca de Carvão e Rabo Longo acreditam que sim, e Garra de Tigre os convenceu de que devem se livrar de você.

Pata Negra resfolegava, sem conseguir falar.

– Por que ele quer se livrar de você, Pata Negra? – perguntou gentilmente Pata de Fogo. – Ele é um dos guerreiros mais fortes do clã. Que ameaça você representa para ele? – Pata de Fogo suspeitava já saber a resposta, mas queria ouvir a verdade do próprio Pata Negra. Esperou enquanto o gato gaguejava atrás de palavras.

Finalmente, Pata Negra aproximou-se lentamente de Pata de Fogo e cochichou em seu ouvido: – Porque não foi o representante do Clã do Rio que matou Rabo Vermelho; foi Garra de Tigre.

Em silêncio, Pata de Fogo sinalizou que estava entendendo, e Pata Negra continou, com os bigodes agitados de tensão. – Rabo Vermelho matou o representante do Clã do Rio...

– Então Garra de Tigre não matou Coração de Carvalho – Pata de Fogo não se conteve e interrompeu.

Pata Negra balançou a cabeça. – Não, não matou! Depois que Rabo Vermelho matou Coração de Carvalho, Garra de Tigre me mandou voltar para o acampamento. Eu queria ficar, mas ele uivou para eu ir; então corri para as árvores. Devia ter continuado a correr, mas não podia ir embora enquanto ainda estivessem lutando. Me virei e, rastejando, fui ver se Garra de Tigre precisava de ajuda. Quando me aproximei, todos os guerreiros do Clã do Rio tinham fugido, restavam apenas Rabo Vermelho e Garra de Tigre. Rabo Vermelho estava observando o último guerreiro fugir e Garra de Tigre... – Pata Negra fez uma pausa, depois resfolegou – Garra de Tigre p-pulou em cima dele, cravando-lhe os dentes na nuca, e Rabo Vermelho caiu morto no chão. Foi quando corri. Não sei se Garra de Tigre me viu. Continuei em disparada até chegar de volta ao acampamento.

– Por que não contou a Estrela Azul? – Pata de Fogo pressionou, gentil.

– Será que ela acreditaria em mim? – Pata Negra duvidou, revirando os olhos. – *Você* acredita em mim?

– Claro que sim – Pata de Fogo miou. Lambeu Pata Negra entre as orelhas, tentando acalmar e confortar o amigo. Teria de achar outra oportunidade para falar a Estrela Azul da traição de Garra de Tigre. – Não se preocupe, vou esclarecer a situação – prometeu. – Enquanto isso, não saia de perto de mim ou de Pata Cinzenta.

– Pata Cinzenta sabe que eles querem se ver livres de mim?

– Ainda não. Mas vou ter de contar a ele.

Pata Negra calou-se e, ajeitando-se sobre a barriga, fitou o vazio.

– Está tudo bem, Pata Negra – ronronou Pata de Fogo, tocando com o nariz o corpo magro do amigo. – Vou ajudá-lo a sair dessa situação.

Pata Cinzenta entrou na toca quando o dia amanheceu. Pata de Areia e Pata de Poeira tinham voltado da patrulha havia pouco tempo e dormiam em seus ninhos.

– Olá! – miou Pata Cinzenta, parecendo mais animado do que nos últimos dias.

Pata de Fogo acordou de imediato e ronronou: – Você parece melhor.

Pata Cinzenta lambeu a orelha de Pata de Fogo. – Folha Manchada passou um pouco de visco no corte e me mandou ficar deitado por horas, sem me mexer. Devo ter adormecido. Aliás, espero que aquele pintassilgo lá fora seja para mim; estou morrendo de fome!

– É sim; Pata Negra o caçou. Garra de Tigre o mandou para a ...

– Calem a boca, vocês dois – rosnou Pata de Areia. – Alguns de nós estão tentando dormir.

Pata Cinzenta revirou os olhos. – Venha, Pata de Fogo – miou. – Cara Rajada teve filhotes; vamos visitá-los.

Pata de Fogo ronronou de prazer. Enfim, alguma coisa para celebrar no Clã do Trovão. Olhou para Pata Negra, que ainda estava dormindo, e saiu da toca sem fazer barulho. Acompanhado de Pata Cinzenta, atravessou a clareira na direção do berçário. O sol nascendo fez sua pelagem brilhar com o calor e ele se espreguiçou com vontade, revelando a flexibilidade de sua espinha e a força de suas pernas.

– Pare de se exibir! – Pata Cinzenta reclamou sobre os ombros. Pata de Fogo parou de se alongar e seguiu o amigo.

Nevasca estava sentado do lado de fora do berçário, guardando a entrada. – Vieram ver os bebês? – miou à aproximação de Pata de Fogo e de Pata Cinzenta.

Pata de Fogo fez que sim.

Nevasca instruiu: – Que entre um de cada vez, o outro terá de esperar. Estrela Azul está com ela agora.

– Você pode ir primeiro – Pata de Fogo ofereceu. – Enquanto isso, vou ver Presa Amarela. – Despediu-se de Nevasca com uma educada mesura e saiu na direção do ninho da gata.

Presa Amarela estava limpando atrás das orelhas, concentrada, com os olhos semicerrados.

– Não me diga que está esperando chuva! – Pata de Fogo provocou.

Presa Amarela olhou para ele e replicou: – Você anda ouvindo muitas histórias dos anciãos. Por que razão um gato lavaria as orelhas se vai pegar chuva de qualquer maneira?

Os bigodes de Pata de Fogo se mexeram, divertidos. – Não vai ver a nova ninhada de Cara Rajada? – perguntou.

Presa Amarela se retesou e balançou a cabeça. – Não acho que seria muito bem-vinda – grunhiu.

– Mas eles sabem que você salvou ... – Pata de Fogo começou.

– As gatas superprotegem seus filhotes recém-nascidos, principalmente quando se trata da primeira ninhada. Acho que vou ficar de longe – Presa Amarela o cortou num tom que não dava chance a nenhuma ponderação.

– Como quiser. Mas eu vou vê-los. Deve ser um bom sinal, filhotes novos no acampamento.

Presa Amarela deu de ombros. – Pode ser – murmurou, sombria.

Pata de Fogo virou-se e voltou para o berçário. Nuvens tinham encoberto o sol, tornando o ar mais fresco. Uma forte brisa movimentava a sua pelagem e espalhava as folhas pela clareira.

Estrela Azul estava sentada do lado de fora do berçário. Atrás dela, a cauda de Pata Cinzenta acabava de desaparecer na entrada estreita. – Pata de Fogo – a gata cumprimentou –, veio ver os mais novos guerreiros do Clã do Trovão? – A líder tinha a voz cansada e triste.

Pata de Fogo ficou surpreso. Os bebês eram mesmo uma boa notícia para o Clã do Trovão?

– Vim, sim – respondeu.

– Quando terminar a visita, venha até minha toca.

– Sim, Estrela Azul – miou o aprendiz enquanto a líder se afastava. Ele sentiu a pelagem pinicar. Ali estava outra oportunidade para falar sozinho com Estrela Azul. Quem sabe, afinal, o Clã das Estrelas estava a seu lado.

Pata Cinzenta se afastou da entrada do berçário. – São realmente uma graça – comentou. – Mas agora estou morto de fome. Vou sair e caçar umas presas frescas. Se conseguir, guardarei algumas para você! – disse, piscando com carinho para Pata de Fogo e se distanciando.

Pata de Fogo ronronou um até logo e olhou para Nevasca, que, com a cabeça, deu-lhe permissão para entrar no berçário.

Esgueirando-se pela entrada diminuta, Pata de Fogo deparou com quatro gatinhos minúsculos, aconchegados no ninho fundo preparado por Cara Rajada. Exceto um deles, com pelo cinza escuro, todos tinham a pelagem cinza clara com manchas escuras, exatamente como a mãe. Miavam e se enroscavam junto à barriga de Cara Rajada, com os olhos bem fechados.

– Como se sente? – Pata de Fogo perguntou baixinho.

– Um pouco cansada – respondeu olhando com orgulho para a ninhada. – Mas os bebês são todos fortes e saudáveis.

– O Clã do Trovão tem sorte em tê-los – Pata de Fogo ronronou. – Estava falando sobre eles com Presa Amarela.

Cara Rajada não respondeu, e Pata de Fogo percebeu o lampejo de preocupação nos olhos da gata quando puxava um gatinho fujão.

Pata de Fogo sentiu no estômago um tremor de ansiedade. Embora Estrela Azul tivesse aceitado Presa Amarela no Clã do Trovão, parecia que a velha gata ainda não contava com a confiança de todos. Com o focinho, tocou carinhosamente a lateral de Cara Rajada, virou-se e voltou para a clareira.

A líder do clã esperava Pata de Fogo na entrada da toca. Rabo Longo estava sentado ao lado dela. O guerreiro malhado encarou Pata de Fogo com firmeza, mas o aprendiz o ignorou e olhou com expectativa para Estrela Azul.

– Entre – ela miou, virando-se para indicar o caminho. Pata de Fogo foi atrás. Rabo Longo imediatamente se levantou, como se fosse segui-los.

Estrela Azul o olhou por sobre o ombro e miou: – Acho que estarei a salvo com o jovem Pata de Fogo. – Rabo Longo pareceu inseguro por um instante; em seguida, sentou do lado de fora.

Pata de Fogo jamais estivera na toca de Estrela Azul. Seguiu-a com um andar macio pelo líquen que cobria a entrada. – Os bebês de Cara Rajada são adoráveis – ronronou.

Estrela Azul estava séria. – Podem ser adoráveis, mas significam mais bocas para alimentar, e a estação sem folhas logo vai chegar. – Olhou então para Pata de Fogo, que não conseguia disfarçar a tristeza pelo tom melancólico da líder. – Ah, não preste atenção no que eu digo – miou Estrela Azul, balançando a cabeça, impaciente. – O primeiro vento frio sempre me preocupa. Venha, fique à vontade. – Ela inclinou a cabeça na direção do chão seco e arenoso.

Pata de Fogo se acomodou sobre a barriga e esticou as patas à frente.

Estrela Azul andava lentamente em círculos em seu ninho de musgo. – Ainda estou dolorida da nossa sessão de treinamento de ontem – admitiu quando finalmente se aquietou e enroscou a cauda à volta das patas. – Você lutou bem, meu jovem.

Pela primeira vez, Pata de Fogo não parou para se deliciar com o elogio. Seu coração estava disparado. Aquele era o momento perfeito para falar à líder dos seus medos a respeito de Garra de Tigre. Ele levantou o queixo, pronto para falar.

Mas foi Estrela Azul que falou primeiro, com o olhar além dele, fixo na parede da toca. – Ainda sinto o fedor do Clã das Sombras no acampamento – murmurou. – Esperava nunca ver o dia em que os inimigos invadiriam o coração do Clã do Trovão. – Pata de Fogo concordou em silêncio, percebendo que Estrela Azul ia continuar.

– E tantas mortes – ela suspirou. – Primeiro, Rabo Vermelho, depois Coração de Leão. Ao menos agradeço ao Clã das Estrelas porque os guerreiros que nos restaram são fortes e leais como eles. Ao menos com Garra de Tigre como representante, o Clã do Trovão ainda é capaz de se defender. O coração de Pata de Fogo pesou e um vento gelado o invadiu à medida que Estrela Azul continuava. – Houve um tempo, quando Garra de Tigre era um jovem guerreiro, que temi pelo ímpeto de sua paixão. Tal energia precisa ser bem canalizada. Mas agora estou orgulhosa de ver o respeito que o clã tem por ele. Sei que é ambicioso, mas a ambição faz dele um dos felinos mais corajosos que já tive a honra de ter a meu lado numa batalha.

Pata de Fogo soube imediatamente que não podia comentar com Estrela Azul suas suspeitas a respeito de Garra de Tigre. Não quando ela contava com seu representante para proteger todo o clã. Primeiro, ele mesmo, Pata de Fogo, teria de salvar Pata Negra. Respirou fundo e pestanejou; desse modo, quando a líder virou-se e o fitou diretamente nos olhos, não havia ali vestígio de espanto ou desapontamento.

As palavras seguintes de Estrela Azul foram emitidas em tom baixo e cheio de preocupação. – Você sabe que Estrela Partida vai voltar. Ele deixou claro na Assembleia que exige direitos de caça em todos os territórios.

– Nós o rechaçamos uma vez. Podemos voltar a fazê-lo – Pata de Fogo insistiu.

– É verdade. – Estrela Azul concordou com um aceno esquisito. – O Clã das Estrelas vai honrar sua coragem, jovem Pata de Fogo. – Fez uma pausa e lambeu um dos ferimentos no flanco. – Acho que você precisa saber que, na batalha com os ratos, não foi minha quinta vida que perdi, mas a sétima.

Pata de Fogo colocou-se imediatamente de pé, chocado.

Estrela Azul continuou. – Deixei o clã acreditar que se tratava de minha quinta vida porque não quero que temam pela minha segurança. Mais duas vidas e terei de abandoná-los e me juntar ao Clã das Estrelas.

Pata de Fogo raciocinava velozmente. Por que ela estaria lhe dizendo aquilo? – Obrigado por partilhar isso comigo, Estrela Azul – ele ronronou, respeitoso.

A líder fez um gesto com a cabeça. – Estou cansada agora – falou bruscamente. – Vá embora. Pata de Fogo, espero que não comente sobre esta conversa com ninguém.

– Claro que não, Estrela Azul – respondeu o aprendiz ao sair pela cortina de líquen.

Rabo Longo ainda estava sentado à entrada. Pata de Fogo passou por ele e se dirigiu à sua toca. Não sabia que pedaço da conversa com Estrela Azul o deixara mais perplexo.

Deteve-se ao ouvir um grito de horror vindo do berçário. Pele de Geada veio aos pulos até a clareira, com a cauda erguida e os olhos arregalados em alarme. – Meus filhotes! Alguém levou meus filhotes!

Garra de Tigre saltou na direção dela e convocou o clã. – Depressa, vasculhem o acampamento! Nevasca, fique onde está. Guerreiros, patrulhem a fronteira do acampamento. Aprendizes, procurem em todas as tocas.

Pata de Fogo correu até a toca mais próxima, a dos guerreiros, e forçou a entrada. Estava vazia. Apalpou as camas, mas ali também não havia nem sinal nem cheiro dos bebês de Pele de Geada.

Saiu, dirigindo-se rapidamente à própria toca. Pata Negra e Pata Cinzenta já estavam lá, deslocando os ninhos, farejando todos os cantos. Pata de Poeira e Pata de Areia vasculharam a toca dos anciãos. Pata de Fogo deixou-os encarregar-se disso e passou de um monte de grama a outro, enfiando neles o nariz, ignorando o espetar das urtigas. Não havia sinal dos filhotes. Olhou à volta dos limites do acampamento. Os guerreiros andavam para trás e para a frente, farejando sofregamente o ar.

De repente, Pata de Fogo localizou Presa Amarela a distância. Ela tentava atravessar um trecho do muro de samambaias onde não havia vigilância. Provavelmente sentira algum cheiro, pensou, e correu na direção da gata, cuja cauda desapareceu no verde. Quando ele alcançou o muro de samambaias, ela já havia partido. Pata de Fogo farejou o ar. Não havia cheiro de filhotes, apenas o odor amargo do medo de Presa Amarela. Do que ela teria medo? – perguntou-se o aprendiz.

O grunhido de Garra de Tigre surgiu dos arbustos atrás do berçário. Todos os gatos rumaram para lá às pressas, Pele de Geada à frente. Amontoaram-se entre cotoveladas para tentar enxergar através da densa vegetação. Pata de Fogo enfiou o nariz e viu Garra de Tigre sobre um fardo imóvel de pelagem salpicada.

Folha Manchada!

Pata de Fogo olhou, incrédulo, o corpo sem vida. Um sentimento de fúria tomou conta dele, como se fosse uma nuvem escura; sentiu o sangue latejar nas orelhas. Quem teria feito aquilo?

Estrela Azul abriu caminho na multidão e inclinou-se sobre o corpo da curandeira – Ela foi morta pelo golpe de um guerreiro – miou, com voz suave.

Pata de Fogo levantou o pescoço e viu uma única ferida por trás do pescoço de Folha Manchada. Sua cabeça girou e ele, de repente, não conseguia concatenar as ideias.

Em meio à tristeza, Pata de Fogo ouviu um murmúrio no fundo da multidão, que cresceu até se tornar um único e cortante uivo. – Presa Amarela se foi!

CAPÍTULO 21

– Presa Amarela matou Folha Manchada e levou meus filhotes! – gritou Pele de Geada. As outras rainhas correram para seu lado e tentaram acalmá-la com lambidas e carinhos, mas Pele de Geada afastou-as e exprimiu seu lamento ao céu que escurecia. Como se respondesse, o céu agitou-se com um estrondo terrível, e um vento frio ondeou a pelagem dos felinos.

– Presa Amarela! – sibilou Garra de Tigre. – Sempre soube que era uma traidora. Agora sabemos como conseguiu liquidar o representante do Clã das Sombras. Foi uma armação para ela se infiltrar furtivamente no nosso clã!

Raios intensos rasgavam o céu, pontuando as palavras de Garra de Tigre com um clarão branco e brilhante; estrondos de trovão percorriam a floresta.

Pata de Fogo não conseguia acreditar no que estava ouvindo. Mortificado de tristeza, sua mente rodopiava. Será que Presa Amarela realmente matara Folha Manchada?

Acima dos murmúrios estupefatos, Risca de Carvão miava alto. – O que você acha, Estrela Azul?

Os gatos fizeram silêncio e se viraram para a líder.

O olhar de Estrela Azul percorreu a multidão de felinos e finalmente parou no corpo de Folha Manchada. As primeiras gotas de chuva começaram a cair, brilhando como gotas de orvalho na pelagem ainda lustrosa da curandeira.

Estrela Azul pestanejou. A tristeza tomou conta de seu rosto e, por um instante, Pata de Fogo teve medo de que essa nova morte a arrasasse. Mas, quando seus olhos se abriram, brilhavam com uma ferocidade que mostrava sua determinação em buscar vingança por esse ataque cruel. Levantou a cabeça. – Se Presa Amarela tiver matado Folha Manchada e sequestrado os filhotes de Pele de Geada, será caçada sem misericórdia. – A multidão miou, aprovando. – Mas precisamos esperar. – Estrela Azul continuou. – Está chegando uma tempestade e não estou preparada para arriscar mais vidas. Se o Clã das Sombras estiver com nossos filhotes, não causarão nenhum dano imediato. Não vão machucá-los. Suspeito que Estrela Partida queira fazer deles recrutas de seu próprio clã, ou reféns, para nos forçar a deixá-lo caçar em nosso território. Assim que o mau tempo passar, uma patrulha sairá no encalço de Presa Amarela para trazer de volta os filhotes.

– Não podemos perder tempo, ou o cheiro vai se dissipar na chuva! – protestou Garra de Tigre.

Estrela Azul, impaciente, balançou a cauda. – Se enviarmos um grupo para persegui-la agora, nosso esforços serão vãos, de qualquer maneira. Com toda esta umidade, o cheiro já terá se perdido quando estivermos prontos para sair.

Se esperarmos até a tormenta passar, teremos mais chance de sucesso.

Ouviram-se murmúrios de concordância entre o clã. Embora o sol estivesse quase a pino, o céu estava cada vez mais escuro. Nervosos por causa dos raios e trovões, os gatos preferiram ouvir o conselho da líder.

Estrela Azul olhou para o representante. – Por favor, gostaria de discutir os planos com você, Garra de Tigre. – O guerreiro fez que sim e, caminhando com um jeito arrogante, dirigiu-se à toca da líder; mas Estrela Azul deixou-o ir e esperou. Olhou para Pata de Fogo, sinalizando, com um balançar de cauda e um movimento dos bigodes, que queria falar com ele em particular.

Os outros felinos se reuniram à volta de Folha Manchada e começaram a lamber o corpo da curandeira, seus lamentos se sobrepondo aos trovões. Estrela Azul abriu caminho entre eles e dirigiu-se ao túnel de tojos, que levava à toca de Folha Manchada.

Pata de Fogo, sem ruído, abriu caminho entre a multidão de gatos, entrando na toca. Estava muito escuro sob as samambaias. A tempestade tinha escurecido o céu da manhã; assim, parecia que a noite tinha chegado. A chuva caía mais pesada, fazendo barulho nas folhas, mas, ao menos, estavam protegidos na clareira de Folha Manchada.

– Pata de Fogo – miou Estrela Azul em tom de urgência quando ele chegou –, onde está Presa Amarela? Você sabe?

Pata de Fogo mal a ouvia. Não podia deixar de lembrar a última vez que fora àquela clareira. A imagem de Folha

Manchada saindo da toca com a pelagem brilhando à luz do sol queimava em sua mente, e ele fechou os olhos para preservá-la.

– Pata de Fogo – disse Estrela Azul, chamando sua atenção –, deixe seu lamento para mais tarde.

Pata de Fogo se sacudiu. – Eu... Eu vi Presa Amarela ultrapassar a fronteira do acampamento depois do sumiço dos filhotes. Acredita realmente que ela tenha matado Folha Manchada e sequestrado os filhotes?

– Não sei – admitiu Estrela Azul, olhando-o firmemente. – Quero que você a encontre e a traga de volta, viva. Preciso saber a verdade.

– Não vai mandar Garra de Tigre atrás dela? – Pata de Fogo não conteve a pergunta.

– Garra de Tigre é um grande guerreiro, mas, nesse caso, a lealdade que dispensa ao clã pode obscurecer seu discernimento – explicou a líder. – Ele quer dar ao clã a vingança que o clã deseja. Nenhum gato pode culpá-lo por isso. O clã acredita que fomos traídos por Presa Amarela, e se Garra de Tigre acha que pode restaurar a confiança de todos entregando-lhes seu cadáver, é exatamente o que fará.

Pata de Fogo concordou em silêncio. Ela estava certa: Garra de Tigre mataria Presa Amarela sem hesitar.

Estrela Azul parecia implacável naquele momento. – Se descobrir que Presa Amarela nos traiu, eu mesma vou matá-la. Mas se isso não tiver acontecido... – Os olhos azuis queimaram em Pata de Fogo. – Não vou deixar um gato inocente morrer.

– Mas, e se Presa Amarela não voltar? – miou Pata de Fogo.

– Ela voltará, se *você* pedir.

Pata de Fogo ficou impressionado com a confiança que Estrela Azul depositava nele. Sentiu pesar sobre si o fardo da enorme tarefa que ela lhe impunha, e ficou pensando se tinha coragem suficiente para cumprir aquela missão.

– Vá de uma vez! – ela ordenou. – Mas tenha cuidado; você estará sozinho e pode haver por aí patrulhas inimigas. Essa tempestade vai manter nossos guerreiros no acampamento por um tempo.

O aprendiz saiu da clareira às pressas. Trovões rugiam sobre sua cabeça. A chuva caía forte, e as gotas batiam em sua pelagem como pedras pequeninas. O clarão de um relâmpago iluminou o rosto de Risca de Carvão e de Rabo Longo, que o observavam.

Pata de Fogo passou pelo berçário num pulo. Não podia partir sem lamber Folha Manchada. Os outros felinos tinham corrido para se proteger, abandonando o corpo da curandeira sob a chuva torrencial enquanto se abrigavam sob as samambaias encharcadas, miando seu medo e sua perda.

Pata de Fogo enterrou o focinho no pelo molhado da curandeira e inspirou seu perfume pela última vez. – Adeus, minha doce Folha Manchada – murmurou.

Suas orelhas se retesaram quando ouviu as vozes de Pele de Geada e de Cauda Sarapintada, que conversavam ali perto. Ficou imóvel, tentando ouvir o que diziam.

– Presa Amarela deve ter tido ajuda – grunhiu Cauda Sarapintada.

– Alguém do *Clã do Trovão*? – perguntou, ansiosa, Pele de Geada.

– Você ouviu o que Garra de Tigre falou de Pata Negra. Talvez ele tenha alguma coisa a ver com isso. Eu mesma nunca me senti à vontade com ele.

O pelo da espinha de Pata de Fogo eriçou-se. Se Garra de Tigre espalhara seus boatos maldosos até o berçário, Pata Negra não estaria a salvo em nenhum lugar do acampamento.

Pata de Fogo percebeu que precisava agir rapidamente. Primeiro encontraria Presa Amarela, depois cuidaria de Pata Negra. Correu para o último lugar onde avistara Presa Amarela. Conhecia tão bem seu cheiro que poderia identificá-lo entre as folhas encharcadas de chuva. Começou a abrir caminho entre os arbustos, com a boca aberta, para detectar aonde levava o rastro da gata.

– Pata de Fogo!

O aprendiz pulou e logo depois se acalmou, ao ver que se tratava de Pata Cinzenta.

– Estava procurando você! – miou o amigo ao correr na sua direção.

Pata de Fogo afastou-se cautelosamente das samambaias.

Pata Cinzenta tinha os olhos semicerrados, para evitar que a chuva, escorrendo por sua pelagem longa, neles entrasse. – Aonde você vai? – miou.

– Procurar Presa Amarela – respondeu Pata de Fogo.

– Sozinho? – indagou o amigo, com o rosto largo carregado de preocupação.

Pata de Fogo pensou por um momento e decidiu contar a verdade ao amigo: – Estrela Azul me pediu para trazer Presa Amarela de volta.

– O quê? – Pata Cinzenta parecia em choque. – Por que *você*?

– Talvez ela ache que, conhecendo Presa Amarela melhor, possa encontrá-la mais facilmente.

– Um grupo de guerreiros não teria mais chances? – Pata Cinzenta perguntou. – Garra de Tigre é o melhor rastreador do clã; se alguém pode trazê-la de volta, é ele.

– Talvez Garra de Tigre não a trouxesse de volta – murmurou Pata de Fogo.

– O que quer dizer com isso?

– Garra de Tigre está atrás de vingança. Ele simplesmente a mataria.

– Mas se ela matou Folha Manchada e sequestrou os filhotes...

– Acredita mesmo nisso? – perguntou Pata de Fogo.

Pata Cinzenta olhou para o amigo, balançando a cabeça, confuso. – Você acha que ela é inocente?

– Não sei – Pata de Fogo admitiu. – Tampouco Estrela Azul. Ela quer descobrir a verdade. Por isso está mandando a mim, não Garra de Tigre.

– Mas, e se ela *mandasse* Garra de Tigre trazê-la de volta viva... – As palavras de Pata Cinzenta foram sufocadas por um trovão ensurdecedor e pelo clarão de um relâmpago, que iluminou as árvores ao redor.

Sob a luz ofuscante, Pata de Fogo vislumbrou Pele de Geada expulsando Pata Negra do berçário. O rosto da rainha branca estava crispado de fúria enquanto ela sibilava para o jovem gato e se projetava para a frente para dar nele uma mordida de advertência na perna traseira.

– Pata Cinzenta virou-se para Pata do Fogo: – Mas o que é *isso*?

Pata de Fogo olhou fixamente para o amigo, com a mente acelerada à procura de uma nova ideia. Parecia que o tempo de Pata Negra tinha se esgotado, e Pata de Fogo precisava da ajuda de Pata Cinzenta. Mas será que o amigo acreditaria nele? O vento estava começando a rugir na copa das árvores, e Pata de Fogo precisou elevar a voz. – Pata Negra está em grande perigo.

– Como?

– Preciso afastá-lo do Clã do Trovão. Agora, antes que alguma coisa lhe aconteça.

Pata Cinzenta ficou confuso. – Por quê? E Presa Amarela?

– Não há tempo para explicar – Pata Cinzenta miou, apressado. – Você vai ter de confiar em mim. Deve haver um jeito de conseguir afastar Pata Negra. Estrela Azul vai manter os guerreiros no acampamento até que passe a tempestade, mas isso não nos dá muito tempo. – Ele tentou pensar nos cantos escondidos da floresta além do território do Clã do Trovão. – Teremos de levá-lo para um lugar onde Garra de Tigre não o encontre e ele possa sobreviver sem o clã.

Pata Cinzenta olhou para ele por um instante. – Que tal com Cevada?

– Cevada! – Pata de Fogo repetiu. – Está sugerindo que levemos Pata Negra para o lugar dos Duas-Pernas? – Suas orelhas estremeceram de empolgação. – É, talvez seja a melhor ideia.

– Então, vamos – miou Pata Cinzenta. – O que estamos esperando?

Pata de Fogo ficou aliviado. Já devia saber que podia contar com a ajuda do velho amigo. Sacudiu-se para tirar as gotas de chuva da cabeça e tocou com o focinho a pelagem de Pata Cinzenta. – Obrigado – ronronou. – Agora, vamos buscar Pata Negra.

Ele estava na toca dos aprendizes, enroscado, infeliz. Pata de Areia e Pata de Poeira também estavam em seus ninhos, tensos e amedrontados com a tormenta que caía.

– Pata Negra – Pata de Fogo sibilou à entrada.

Pata Negra levantou os olhos. Pata de Fogo movimentou as orelhas e o gato negro o seguiu na tempestade.

– Venha. Vamos levá-lo até o Cevada – Pata de Fogo murmurou.

– Cevada? – o gato perguntou, espantado, estreitando os olhos por causa da chuva forte. – Por quê?

– Lá você ficará mais seguro – respondeu Pata de Fogo, fitando-o diretamente nos olhos.

– Você viu o que Pele de Geada fez? – miou Pata Negra, com a voz trêmula. – Eu estava apenas verificando se os filhotes...

– Venha! – Pata de Fogo o interrompeu. – Temos de nos apressar!

Os amigos se entreolharam e Pata Negra agradeceu:
– Obrigado, Pata de Fogo. – Em seguida, voltou-se na direção do vento e atravessou a clareira.

Os três correram para a entrada do acampamento, com a pelagem grudada no corpo por causa do vento avassalador. Quando entraram no túnel de tojos, uma voz os chamou de volta.

– Vocês três! Aonde vão?

Era Garra de Tigre.

Pata de Fogo girou o corpo, sentindo o coração disparar. Ficou desesperado, imaginando o que poderia dizer, quando viu Estrela Azul caminhando, resoluta, na direção deles. Ela franziu o cenho por um instante; então seu rosto se abriu.

– Muito bem, Pata de Fogo – ela miou. – Vejo que convenceu seus dois amigos a irem com você. O Clã do Trovão tem aprendizes valentes, Garra de Tigre, já que estão dispostos a cumprir uma missão com um tempo desses.

– Tem certeza de que é hora para missões? – argumentou o guerreiro.

– Um dos filhotes de Cara Rajada está com tosse. – A voz de Estrela Azul era de uma calma gelada. – Pata de Fogo se ofereceu para pegar um pouco de unha-de-cavalo.

– Ele realmente precisa que os amigos também vão? – perguntou Garra de Tigre.

– Nessa tempestade, acho que ele tem sorte por ter companhia – respondeu Estrela Azul. Fitou profundamente os olhos de Pata de Fogo e o aprendiz, de súbito, deu-se conta da confiança que a líder depositava nele. – Vocês três, podem ir – ela miou.

Agradecido, Pata de Fogo devolveu o olhar. – Obrigado – ronronou, abaixando a cabeça. Lançando um rápido olhar aos companheiros, comandou o grupo pelos caminhos conhecidos na direção de Quatro Árvores. O vento uivava entre os galhos e as árvores balançavam, os troncos estalando e quebrando, como se fossem tombar a qualquer momento. A chuva caía inclemente pelas folhas, ensopando os felinos até o couro.

Chegaram ao riacho, mas as pedras que normalmente usavam como apoio, pulando de uma em uma, tinham desaparecido. Os gatos pararam na margem e olharam, desanimados, para o rio – largo, marrom e agitado.

– Por aqui – miou Pata de Fogo. – Há uma árvore caída. Podemos usá-la para atravessar. – Conduziu Pata Cinzenta e Pata Negra rio acima até um tronco que ficava a apenas um passo de filhote acima da água apressada. – Tenham cuidado para não escorregar! – Pata de Fogo advertiu. O tronco estava descascado, restando apenas a madeira macia e molhada para os felinos se equilibrarem. Com cuidado, os três gatos caminharam por ele. Pata de Fogo pulou para o outro lado e ficou observando os amigos até que eles também chegassem a salvo.

As árvores eram maiores do outro lado, permitindo que se abrigassem um pouco da tempestade enquanto corriam, lado a lado.

– Vai me dizer exatamente por que precisamos afastar Pata Negra? – perguntou, ofegante, Pata Cinzenta.

– Porque ele sabe que Garra de Tigre matou Rabo Vermelho! – respondeu Pata de Fogo.

– Garra de Tigre matou Rabo Vermelho! – repetiu Pata Cinzenta, incrédulo, parando de repente e fixando o olhar primeiro em Pata de Fogo, depois em Pata Negra.

– Na batalha com o Clã do Rio – bufou Pata Negra. – Eu o vi.

– Mas por que ele faria isso? – Pata Cinzenta protestou, voltando a andar. Começaram a descer a encosta que levava à clareira das Quatro Árvores.

– Não sei. Talvez pensasse que por isso Estrela Azul o escolheria como representante – opinou Pata de Fogo, sobrepondo a voz ao vento.

Pata Cinzenta não replicou, mas seu rosto anuviou-se.

Os gatos começaram a subir a encosta íngreme que dava no território do Clã do Vento. Pulando de rocha em rocha no aclive, Pata de Fogo falava com Pata Cinzenta, que vinha atrás. Queria que o amigo compreendesse como era perigoso para Pata Negra ficar no acampamento do Clã do Trovão. – Ouvi Garra de Tigre conversar com Risca de Carvão e Rabo Longo na noite em que Coração de Leão foi morto – ele uivou. – Ele quer se ver livre de Pata Negra.

– *Ver-se livre* dele? Você quer dizer *matá-lo*? – Pata Cinzenta caiu sentado numa pedra.

Pata de Fogo também parou e olhou para os amigos. Pata Negra tinha parado mais abaixo na encosta, com os flancos subindo e descendo, na busca de ar. Parecia menor do que nunca com a pelagem encharcada pendendo do corpo extremamente magro.

– Você viu como Pele de Geada se dirigiu a Pata Negra hoje? – Pata de Fogo miou para Pata Cinzenta. – Garra de Tigre está dizendo a todo o mundo que Pata Negra é traidor. Mas ele ficará a salvo com Cevada. Agora vamos, precisamos nos apressar!

Era impossível conversar no campo aberto do território do Clã do Vento. O vento uivava ao redor deles enquanto ouviam-se trovões, raios cortando o céu. Os três felinos abaixaram as cabeças e seguiram em frente, no coração da tempestade

Por fim, chegaram à beira do planalto que marcava o fim do território do Clã do Vento.

– Não podemos levar você mais adiante, Pata Negra – miou Pata de Fogo no meio da ventania. – Temos de voltar e encontrar Presa Amarela antes que a tempestade passe.

Pata Negra olhou através da chuva torrencial, apavorado. Concordou em silêncio.

– Você vai conseguir encontrar Cevada sozinho? – gritou Pata de Fogo.

– Vou, lembro o caminho – respondeu Pata Negra.

– Cuidado com aqueles cães – advertiu Pata Cinzenta.

Pata Negra aquiesceu: – Pode deixar. – De repente, franziu o cenho. – Como tem certeza que Cevada vai me receber bem?

– Apenas diga a ele que uma vez você pegou uma serpente! – respondeu Pata Cinzenta, tocando com carinho o ombro do amigo ensopado pela chuva.

– Vá – apressou Pata de Fogo, ciente de que o tempo era curto. Lambeu o peito magro de Pata Negra e disse: – Não se preocupe; cuidarei para que todos saibam que você não traiu o Clã do Trovão.

– E se Garra de Tigre vier atrás de mim? – Mal se ouvia a voz de Pata Negra no meio da tempestade barulhenta.

Pata de Fogo fitou-o nos olhos. – Não virá. Direi a ele que você está morto.

CAPÍTULO 22

Pata de Fogo e Pata Cinzenta refizeram o caminho de volta ao território do Clã do Trovão. Ambos estavam completamente molhados e com os ossos moídos, mas Pata de Fogo mantinha o passo. A tormenta começava a se dissipar. Uma patrulha do Clã do Trovão logo sairia no encalço de Presa Amarela. Precisavam encontrá-la primeiro.

O céu ainda estava escuro, embora as nuvens carregadas começassem a se movimentar para o horizonte. Pata de Fogo imaginou que devia ser quase pôr do sol.

– Por que não vamos direto ao território do Clã das Sombras? – sugeriu Pata Cinzenta quando desciam a íngreme encosta na direção das Quatro Árvores.

– Precisamos primeiro encontrar o cheiro de Presa Amarela – Pata de Fogo explicou. – Espero que ele não nos leve ao acampamento do Clã das Sombras.

Pata Cinzenta olhou de viés para o amigo, mas não respondeu.

Voltaram a passar pelo riacho, rumo ao Clã do Trovão.

Não encontraram o cheiro de Presa Amarela até atravessarem para a floresta de carvalho, perto do acampamento.

Agora que a chuva tinha finalmente parado, os odores perto deles começavam a reaparecer. Pata de Fogo esperava que a chuva não tivesse levado totalmente o rastro de Presa Amarela. Parou e esfregou a ponta do nariz numa samambaia, reconhecendo o odor familiar. O cheiro de medo de Presa Amarela picou-lhe as narinas. – Ela veio por aqui! – miou, embrenhando-se na vegetação molhada, seguido por Pata Cinzenta. A chuva diminuíra e os trovões se perdiam na distância. O tempo se esgotava. Pata de Fogo se apressou.

Para sua decepção, percebeu que o odor de Presa Amarela realmente levava direto ao território do Clã das Sombras. Seu coração se entristeceu. Seriam verdadeiras as acusações de Garra de Tigre? Pata de Fogo nutria a esperança de que o próximo cheiro os levasse a uma direção diferente, mas a trilha não deixava dúvidas.

Pararam ao chegar ao Caminho do Trovão. Diversos monstros rugiam por ali, vomitando jatos de água suja. Os dois gatos hesitaram na beira do caminho largo e cinza até encontrarem uma brecha. Então, atravessaram o caminho e entraram no território do Clã das Sombras.

Os cheiros que marcavam a fronteira fizeram formigar os pés de Pata de Fogo.

Pata Cinzenta parou e, nervoso, olhou à volta. – Sempre pensei que teria comigo mais alguns guerreiros quando finalmente entrasse no território do Clã das Sombras – confessou.

– Você não está com medo, está? – murmurou Pata de Fogo.

– *Você* não está? Minha mãe muitas vezes me advertiu sobre o fedor do Clã das Sombras.

– Minha mãe nunca me ensinou essas coisas – comentou Pata de Fogo. Mas, pela primeira vez, estava aliviado por ter a pelagem colada ao corpo de tão molhada. Assim, Pata Cinzenta não poderia perceber o arrepio de medo que lhe percorria a espinha.

Os dois felinos seguiram vigilantes, alertas a qualquer coisa que vissem ou ouvissem. Pata Cinzenta tentava detectar as patrulhas do Clã das Sombras, e Pata de Fogo, o grupo do Clã do Trovão, que, ele sabia, viria logo.

A trilha do odor de Presa Amarela levava diretamente ao coração das zonas de caça do Clã das Sombras. O bosque ali era escuro, a vegetação cheia de urtigas e amoreiras.

– Não consigo sentir o cheiro dela – reclamou Pata Cinzenta. – Está molhado demais.

– Ali adiante – Pata de Fogo assegurou.

– Mas posso sentir o cheiro *daquilo* – Pata Cinzenta disparou, de repente.

– Aquilo o quê? – Pata de Fogo sibilou, parando, alarmado.

– Cheiro de filhote. Aqui tem sangue de filhote!

Pata de Fogo voltou a farejar, procurando o cheiro da ninhada do Clã do Trovão. – Também sinto – concordou. – E alguma coisa mais! – Abaixou a cauda num único movimento, advertindo Pata Cinzenta para ficar quieto. Então, em silêncio, sinalizou com os bigodes na direção de um freixo escurecido adiante.

As orelhas de Pata Cinzenta estremeceram, inquisitivas. Pata de Fogo fez um ligeiro gesto de cabeça. Presa Amarela estava abrigada atrás do largo tronco dividido ao meio.

Como por instinto, os dois gatos se separaram; cada um foi para um lado da árvore. Movimentaram-se com vagar pelo chão macio da floresta, usando todos os truques do treinamento básico, pisando de leve, mantendo os corpos baixos.

Então pularam.

Presa Amarela gritou, surpresa, quando os dois felinos aterrissaram a seu lado, imobilizando-a no chão. A gata lutou para se soltar, cuspiu e recuou até um buraco escondido na base do tronco. Pata de Fogo e Pata Cinzenta se adiantaram, fechando a saída.

– Eu sabia que o Clã do Trovão ia me culpar! – ela sibilou, com os olhos disparando toda a sua antiga hostilidade.

– Onde estão os filhotes? – Pata de Fogo perguntou.

– Sentimos o cheiro do sangue deles – exclamou Pata Cinzenta. – Você os machucou?

– Não estou com eles – rosnou Presa Amarela, zangada. – Vim procurá-los e levá-los de volta. Parei porque também senti cheiro de sangue. Mas eles não estão aqui.

Pata de Fogo e Pata Cinzenta se olharam.

– Não estou com eles! – insistiu Presa Amarela.

– Por que fugiu, então? Por que matou Folha Manchada? – Pata Cinzenta fez as perguntas que Pata de Fogo não conseguia dizer em voz alta.

– Folha Manchada está *morta*? – Era evidente o choque na voz de Presa Amarela.

O alívio tomou conta de Pata de Fogo – Você não sabia? – gritou.

– Como poderia saber? Deixei o acampamento assim que soube que os filhotes tinham desaparecido.

Pata Cinzenta parecia desconfiado, mas Pata de Fogo sentia sinceridade na voz da guerreira.

– Sei quem pegou os filhotes – ela continuou. – Senti o cheiro dele perto do berçário.

– Quem foi? – Pata de Fogo perguntou.

– Cara Rasgada, um dos guerreiros de Estrela Partida. Enquanto os filhotes estiverem com o Clã das Sombras, correm grande perigo.

– Mas, certamente, nem o Clã das Sombras machucaria filhotes! – Pata de Fogo protestou.

– Não tenha tanta certeza – disparou Presa Amarela. – Estrela Partida pretende usá-los para guerrear.

– Mas têm apenas três luas de idade! – arquejou Pata Cinzenta.

– Isso não o impediu antes. Ele vem treinando filhotes de três luas desde que se tornou líder. Com cinco luas ele os manda lutar como guerreiros!

– São pequenos demais para lutar! – Pata de Fogo protestou. Mas desenhou na mente os pequeninos aprendizes que vira na Assembleia. Não eram só pequenos; eram filhotes!

Presa Amarela sibilou com escárnio: – Estrela Partida não liga para isso. Ele tem muitos filhotes para desperdiçar e, se acabar a cota, pode roubar dos outros clãs! – A voz transpirava raiva. – Afinal, estamos falando de um gato que matou filhotes do próprio clã!

Pata de Fogo e Pata Cinzenta estavam atônitos.

– Se ele matou os filhotes do Clã das Sombras, por que não foi punido? – Pata de Fogo, afinal, perguntou.

– Porque mentiu – grunhiu Presa Amarela. O amargor enrijeceu sua voz. – Acusou a mim do crime e o Clã das Sombras acreditou!

Pata de Fogo de repente compreendeu. – Por isso foi afastada do Clã das Sombras? – perguntou. – Você precisa voltar conosco e dizer tudo isso a Estrela Azul.

– Não antes de resgatar os filhotes! – disparou Presa Amarela.

Pata de Fogo levantou a cabeça e farejou o ar. A chuva tinha parado e o vento diminuía. A patrulha do Clã do Trovão já estaria a caminho. Não estavam a salvo ali.

Pata Cinzenta parecia chocado com a acusação de Presa Amarela. – Como é que um líder mata filhotes do próprio clã? – perguntou.

– Estrela Partida insistia em dar-lhes um treinamento árduo e precoce demais. Levou dois filhotes para ensinar práticas de batalha. – Presa Amarela, arquejante, deu um suspiro profundo. – Tinham apenas quatro luas de idade. Já estavam mortos quando ele os trouxe de volta para mim. Tinham arranhões e mordidas de um guerreiro formado, não de aprendizes. Ele mesmo deve ter lutado com os filhotes. Não havia nada que eu pudesse fazer. Quando a mãe chegou, Estrela Partida estava comigo. Ele disse que me encontrara observando os corpos mortos. – Sua voz falhou e ela olhou para o lado.

– Por que não contou a ela que tinha sido Estrela Partida? – perguntou Pata de Fogo, sem acreditar.

Presa Amarela balançou a cabeça. – Não podia.

– Por que não?

A velha gata hesitou. Quando falou, tinha a voz pesada, sentida. – Estrela Partida é o líder do Clã das Sombras. Seu pai era o nobre Estrela Afiada. A palavra dele é lei.

Pata de Fogo desviou o olhar e os três gatos sentaram em silêncio por um momento. Então, Pata de Fogo miou: – Vamos resgatar os filhotes juntos. Esta noite. Mas não podemos ficar aqui. Sinto o cheiro da patrulha do Clã do Trovão se aproximando. – Ele fez uma pausa. – Se Garra de Tigre estiver com eles, Presa Amarela não terá nenhuma chance. Ele vai matá-la antes que possamos explicar alguma coisa.

Presa Amarela olhou para ele, novamente alerta e determinada. – Há turfa por aqui; estará molhada após a chuva. Vai disfarçar nossos odores – disse.

Ela pulou numa moita de samambaias, seguida de perto por Pata de Fogo e Pata Cinzenta. Ouviam o farfalhar da vegetação ao longe. Não era mais o vento que maltratava os arbustos, mas uma patrulha que se aproximava, certamente com sede de vingança e atiçada pelas mentiras de Garra de Tigre.

Uma calmaria suspeita tomou conta da floresta e uma neblina fina começou a se formar entre os troncos das árvores. Pata de Fogo sacudiu as gotículas da pelagem e, impaciente, tirou do peito um pedaço de casca de árvore.

Presa Amarela os conduziu para dentro da floresta. O chão se tornava cada vez mais encharcado e os gatos começaram a afundar as patas na turfa macia. O cheiro úmido obstruía as narinas de Pata de Fogo, mas, ao menos, aquilo ia disfarçar a trilha que deixavam. Atrás deles, o barulho dos felinos aumentava.

– Depressa, aqui embaixo – Presa Amarela apressou-os, abaixando-se sob um arbusto de folhas largas. Os três gatos se agacharam sob a árvore, recolhendo as caudas. Pata de Fogo ficou tão quieto quanto possível, tentando ignorar o chão totalmente molhado que encharcava a pelagem de sua barriga e prestando atenção ao barulho da patrulha do Clã do Trovão, cada vez mais próxima.

CAPÍTULO 23

PATA DE FOGO CONSEGUIU identificar a presença de diversos gatos na patrulha, andando rápido. Não pôde reconhecer, no entanto, os odores individuais dos felinos no meio dos odores terrais do brejo, mas sabia que se tratava do Clã do Trovão. Prendeu a respiração quando ouviu as passadas se aproximarem e se afastarem rápido.

– Vamos mesmo tentar resgatar os filhotes sozinhos? – disse, baixinho, Pata Cinzenta.

Presa Amarela respondeu primeiro: – Talvez consiga alguma ajuda dentro do Clã das Sombras. Nem todos os gatos apoiam Estrela Partida.

Pata de Fogo retesou as orelhas, e Pata Cinzenta, surpreso, movimentou a cauda.

– Quando se tornou líder – explicou Presa Amarela –, Estrela Partida obrigou os anciãos a deixarem a segurança do interior do acampamento. Tiveram de ir para a fronteira e caçar por si mesmos. São gatos que cresceram de acordo com o código dos guerreiros. Alguns deles podem nos ajudar.

Pata de Fogo fitou com firmeza os velhos olhos, pensando com rapidez. – E posso conseguir convencer o grupo de caça do Clã do Trovão a nos ajudar também – miou. – Se conseguir falar com eles antes que vejam Presa Amarela, posso fazê-los acreditar na versão dela. Pata Cinzenta, espere no freixo morto, onde sentimos cheiro de sangue dos filhotes, até que um de nós retorne.

Pata Cinzenta parecia preocupado. – Mas você acredita realmente que Presa Amarela vai voltar com ajuda? – murmurou para Pata de Fogo.

– Vocês *têm de* acreditar em mim – grunhiu Presa Amarela. – Vou voltar.

Pata Cinzenta olhou para Pata de Fogo, que concordou com a cabeça.

Sem mais dizer, Presa Amarela passou correndo pelos dois aprendizes e desapareceu nos arbustos.

– Será que fizemos a coisa certa? – perguntou Pata Cinzenta.

– Não sei – Pata de Fogo admitiu. – Se fizemos, somos heróis e os filhotes estão salvos. Se estivermos errados, podemos nos considerar mortos.

Pata de Fogo correu atrás da patrulha, perto das amoreiras, passando por tojos e no meio de urtigas. A trilha era fácil de seguir. Os zangados felinos do Clã do Trovão não estavam tentando disfarçar sua presença no território do Clã das Sombras.

No céu, a espessa camada de nuvens tinha finalmente se dissipado. Além das copas das árvores, o Tule de Prata brilhava no céu noturno. A lua acabava de nascer, mas sua luz fria não penetrava na bruma que tomava conta da vegetação sombria.

Pata de Fogo se concentrou no odor que havia adiante. Sentiu o cheiro de Nevasca. Voltou a farejar. Garra de Tigre não estava com eles. Correu para alcançá-los e, detendo-se de repente, parou logo atrás do bando do Clã do Trovão.

Os guerreiros se viraram e o olharam de forma penetrante, com a pelagem arrepiada e as orelhas agressivamente abaixadas. Risca de Carvão estava com eles, além da jovem Pelo de Rato e do guerreiro malhado Vento Veloz. Pelo de Rato não era a única representante feminina na patrulha. Pele de Salgueiro também estava lá.

– Pata de Fogo! – grunhiu Nevasca. – O que está fazendo aqui?

Pata de Fogo arfou, procurando ar. – Estrela Azul me mandou! – arquejou. – Ela queria que eu encontrasse Presa Amarela antes de...

Nevasca o interrompeu. – Ah! Estrela Azul disse que eu podia encontrar um amigo aqui. Agora compreendo o que ela quis dizer – miou, olhando intrigado para o aprendiz.

– Garra de Tigre está por perto? – perguntou Pata de Fogo, sentindo um formigamento de orgulho quando os gatos trocaram olhares.

Nevasca olhou curiosamente para Pata de Fogo. – Estrela Azul insistiu que era necessário ele ficar no acampamento para proteger os outros filhotes.

Pata de Fogo logo entendeu, aliviado. Miou com urgência: – Nevasca, preciso de sua ajuda. Posso levar você até os filhotes. Pata Cinzenta está esperando por mim. Planejamos resgatá-los esta noite. Vocês vêm conosco?

– Claro que sim! – Os guerreiros agitaram as caudas, empolgados.

– Isso significa atacar de surpresa o acampamento do Clã das Sombras – Pata de Fogo advertiu.

– Você pode nos guiar até lá? – Vento Veloz perguntou, ansioso.

– Não, mas Presa Amarela pode. E ela prometeu trazer ajuda de seus antigos aliados no acampamento.

Pele de Rato o encarou e, zangada, balançou a cauda. – Você achou Presa Amarela? – sibilou.

– Não estou entendendo – miou Nevasca, confuso. – A traidora vai ajudar a resgatar os filhotes que roubou?

Pata de Fogo respirou fundo para se acalmar e então, mirando firmemente os olhos de Nevasca, explicou: – Presa Amarela não os levou. Nem matou Folha Manchada. Ela quer nos ajudar a resgatar os filhotes.

Nevasca devolveu o olhar e pestanejou. – Vá na frente, Pata de Fogo – ordenou.

Pata Cinzenta estava esperando perto do freixo, andando sem parar à volta do tronco podre. Parou assim que viu a patrulha surgir da bruma e estremeceu os bigodes numa saudação.

– Algum sinal de Presa Amarela? – perguntou Pata de Fogo.

– Ainda não – respondeu Pata Cinzenta.

– Não sabemos qual é a distância para o acampamento do Clã das Sombras – Pata de Fogo apressou-se em dizer, ao ver Nevasca se retesar a seu lado. – Ela pode estar voltando neste momento.

– Ou pode estar alegremente trocando lambidas com seus camaradas do Clã das Sombras enquanto ficamos aqui como bobos esperando para cair numa emboscada! – miou Pata Cinzenta.

Nevasca observou os dois aprendizes. As orelhas do guerreiro se mexiam, nervosas. – Pata de Fogo? – cobrou.

– Ela vai voltar – prometeu o aprendiz.

– Disse-o bem, jovem Pata de Fogo – Presa Amarela surgiu de trás do freixo e sentou-se. – Você não é o único que consegue chegar de mansinho, sem ninguém perceber – ela miou para Pata de Fogo. – Lembra-se do dia em que nos conhecemos? Daquela vez você também estava olhando para a direção errada.

Outros três felinos do Clã das Sombras saíram de trás da árvore e se colocaram calmamente de ambos os lados de Presa Amarela. Os gatos do Clã do Trovão se arrepiaram, alertas e desconfiados.

Os gatos dos dois clãs se olharam em silêncio. Pata de Fogo estava inquieto e desconfortável, sem saber direito o que fazer. Afinal, um dos felinos do Clã das Sombras, um gato cinza, falou. Seu corpo era comprido e magro, a pelagem opaca. – Viemos para ajudá-los, não para lhes fazer mal. Vocês vieram por causa dos filhotes; vamos ajudar a resgatá-los.

– O que vocês ganham com isso? – perguntou Nevasca, desconfiado.

– Queremos ajuda para nos livrar de Estrela Partida. Ele quebrou o código dos guerreiros e o Clã das Sombras está sofrendo.

– Então é simples assim? – grunhiu Vento Veloz. – Basta chegarmos ao seu acampamento, pegar os filhotes, matar seu líder e voltar para casa.

– Vocês não vão encontrar tanta resistência quanto pensam – murmurou o gato cinza.

Presa Amarela se levantou. – Deixe-me apresentar-lhes meus velhos amigos – ela miou, abrindo caminho entre os gatos do Clã das Sombras. Colocou-se à frente do gato cinza. – Este é Pelo de Cinzas, um dos anciãos do clã.

– Este é Manto da Noite, um guerreiro que já era experiente antes de Estrela Afiada ser morto. – Ela deu uma volta ao redor de um felino preto maltratado.

– E esta é uma das nossas rainhas mais velhas, Nuvem da Aurora. Dois de seus filhotes morreram ao expulsar o Clã do Vento.

Nuvem da Aurora, uma pequena gata malhada, cumprimentou-os com um miado e disse: – Não quero perder nenhum outro filhote.

Nevasca lambeu rapidamente o peito para abaixar a pelagem. – Vê-se que são guerreiros competentes, já que conseguiram nos alcançar sem que notássemos. Mas são suficientes? Precisamos saber o que vamos enfrentar quando atacarmos o acampamento do Clã das Sombras.

– Os velhos e os doentes estão aos poucos morrendo de fome – miou Pelo de Cinzas. – As perdas entre os filhotes são mais do que podemos suportar.

– Mas se a situação está tão ruim – disse, de repente, Risca de Carvão –, como o Clã das Sombras tem demonstrado tanta força ultimamente? E por que Estrela Partida continua como líder?

– Estrela Partida está rodeado por um pequeno grupo de guerreiros de elite – respondeu Pelo de Cinzas. – São os que devemos temer, porque morreriam por ele sem pestanejar. Os outros guerreiros obedecem às suas ordens apenas porque têm medo. Lutarão ao lado dele enquanto acreditarem que Estrela Partida vai vencer. Se acharem que vai ser derrotado...

– Vão lutar contra ele, não *por* ele! – Risca de Carvão completou, indignado, a frase do ancião. – Que tipo de lealdade é essa?

A pelagem dos felinos do Clã das Sombras começou a se eriçar.

– Nosso clã não foi sempre assim – interrompeu Presa Amarela. – Quando Estrela Afiada o liderava, éramos temidos por nossa força. Mas, naquele tempo, a força vinha do código dos guerreiros e da lealdade ao clã, não de medo e desejo de sangue – A velha curandeira suspirou. – Se ao menos Estrela Afiada tivesse vivido mais tempo...

– Como ele morreu? – perguntou Nevasca, curioso. – Houve muitos boatos nas Assembleias, mas ninguém parecia saber ao certo.

Os olhos de Presa Amarela se nublaram de pesar. – Ele caiu numa emboscada de uma patrulha de guerreiros de outro clã.

Nevasca assentiu com um movimento de cabeça. – É o que a maioria dos gatos andava pensando. Realmente são tempos difíceis estes em que os líderes são atacados no escuro, não numa batalha aberta e honrada.

Pata de Fogo franziu o cenho, imaginando prontamente diferentes planos de luta. – Há alguma possibilidade de pegarmos os filhotes sem alertar todo o clã? – perguntou.

Nuvem da Aurora respondeu: – São guardados de perto. Estrela Partida está esperando que o Clã do Trovão tente resgatá-los. Vocês não conseguirão pegá-los em segredo. A única esperança é o ataque aberto.

– Então devemos concentrar o ataque em Estrela Partida e em sua segurança interna – miou Nevasca.

Presa Amarela tinha uma sugestão. – Os guerreiros do Clã das Sombras me levariam até o acampamento. Poderiam dizer que me capturaram. Precisamos ter certeza de que Estrela Partida e seus guerreiros estarão fora das tocas. A notícia da minha captura vai levá-los até a clareira. Quando estiverem todos a céu aberto, darei o sinal para atacarem.

Nevasca ficou em silêncio por um instante. Finalmente aquiesceu, mostrando um semblante sério quando encarregou seus guerreiros do ataque. – Muito bem, Presa Amarela – miou. – Por favor, leve-nos ao acampamento do Clã das Sombras.

CAPÍTULO 24

PRESA AMARELA SE VIROU e entrou pelas samambaias. Nevasca e os outros a seguiram.

Pata de Fogo formigava de empolgação. Não sentia o frio úmido no ar e já havia muito tempo que não pensava em cansaço.

Presa Amarela guiou-os até um pequeno vale rodeado por densa vegetação e mostrou a entrada para o acampamento do Clã das Sombras. A massa trançada de amoreiras parecia muito diferente do túnel de tojos bem-feito que levava ao acampamento do Clã do Trovão. Os limites do acampamento estavam cheios de buracos e fendas; o fedor de carne putrefata vinha na direção deles.

– Vocês comem *comida de corvo*? – sussurrou Pata Cinzenta, retorcendo o lábio.

– Nossos guerreiros são treinados para atacar, não para caçar – respondeu Pelo de Cinzas. – Comemos qualquer coisa que encontramos.

– Clã do Trovão, escondam-se naquela moita de amoreiras ali – sibilou Presa Amarela. – Está cheia de cogumelos venenosos que vão encobrir o seu cheiro. Esperem aqui até me ouvirem chamar.

Ela deu um passo para trás, colocando-se no centro do grupo, como se fosse uma prisioneira, e deixou os outros gatos do Clã das Sombras conduzirem a caminhada. Rumaram para o acampamento em silêncio.

Os felinos do Clã do Trovão, tensos e alertas, se colocaram entre os cogumelos. Pata de Fogo sentia a pelagem pinicar. Olhou para Pata Cinzenta, a seu lado. O pelo espesso na nuca do amigo estava de pé, e Pata de Fogo o ouvia arfar, reprimindo o entusiasmo.

De repente, uma gritaria surgiu no acampamento do Clã das Sombras. Sem hesitar, os felinos do Clã do Trovão pularam de seus esconderijos e correram para a entrada.

Presa Amarela, Pelo de Cinzas, Nuvem da Aurora e Manto da Noite estavam em uma clareira de chão lamacento, lutando com seis guerreiros de aparência terrível. Pata de Fogo reconheceu entre eles Estrela Partida e seu representante, Pé Preto. Os guerreiros pareciam famintos e com marcas de batalha, mas Pata de Fogo via seus músculos fortes sob a pelagem remendada.

À volta da clareira, reuniam-se grupos de felinos esquálidos que olhavam para o espetáculo de selvageria sem entender direito o que estava acontecendo. Os corpos magros pareciam encolher diante da violência, enquanto seus olhos embaciados simplesmente observavam, chocados e confusos. Pelo canto do olho, Pata de Fogo viu Nariz Molhado recuar e se esconder sob um arbusto.

Ao sinal de Nevasca, os felinos do Clã do Trovão pularam para lutar.

Pata de Fogo agarrou um gato prateado, mas o felino se sacudiu, conseguindo se soltar. Pata de Fogo tropeçou e o guerreiro do Clã das Sombras partiu para cima dele, segurando-o com garras tão afiadas que pareciam espinhos. Ele conseguiu se virar e afundar os dentes na carne do inimigo. O grito do guerreiro indicava que ele encontrara carne tenra, e mordeu ainda mais forte. O guerreiro voltou a guinchar, soltando-se com violência e fugindo para os arbustos.

Pata de Fogo ficou de pé. Um jovem aprendiz do Clã das Sombras saltou em cima dele vindo do limite do acampamento, com sua pelagem macia de filhote inflamada de medo.

Pata de Fogo pôs as garras de fora e o jogou longe com facilidade. – Esta briga não é sua – sibilou.

Nevasca já tinha imobilizado Pé Preto no chão e mordeu-o com vontade. Ferido, o representante fugiu na direção da entrada do acampamento e dali para a segurança da floresta.

– Pata de Fogo! – O aprendiz ouviu Nuvem da Aurora gritar seu nome. – Cuidado! Cara Rasgada está... – Não ouviu o resto. Um gato marrom e corpulento caiu em cima dele. *Cara Rasgada!* Pata de Fogo enterrou as garras no chão e girou o corpo para lutar. O guerreiro que matara Folha Manchada! A raiva tomou conta do aprendiz, que se jogou em cima do gato marrom.

Pata de Fogo empurrou o guerreiro para o chão e imprensou sua cabeça na terra. Cego pela fúria, preparou-se para enterrar os dentes no pescoço de Cara Rasgada. Mas, antes que pudesse desferir o golpe de morte, Nevasca o jogou para o lado e agarrou o guerreiro do Clã das Sombras.

– Os guerreiros do Clã do Trovão não matam, a não ser que sejam obrigados – grunhiu na orelha de Pata de Fogo. – Apenas precisamos que saibam que não devem mais aparecer aqui! – Deu em uma mordida feroz em Cara Rasgada, que saiu gritando do acampamento.

Ainda com raiva, Pata de Fogo olhou furiosamente à volta. Os guerreiros de Estrela Partida tinham ido embora.

Ouviu-se um uivo de fúria atrás de Pata Cinzenta, que deu um pulo e abriu caminho. Pata de Fogo viu Presa Amarela agarrando Estrela Partida com patas cheias de lama e sangue. O corpo dele sangrava de várias feridas. As orelhas estavam abaixadas na cabeça e os bigodes recolhidos para trás quando ele agachou, esmagado sob a pegada poderosa de Presa Amarela.

– Nunca pensei que seria mais difícil matar você do que foi matar meu pai! – ele rosnou.

Presa Amarela se encolheu como se tivesse sido picada por uma abelha, a face retorcida, de repente, por choque e tristeza. Ela recolheu as garras e, no mesmo instante, girando o corpo maciço, ele a arremessou para o lado.

– *Você* matou Estrela Afiada? – Presa Amarela lamuriou-se, com os olhos arregalados, sem poder acreditar.

Estrela Partida olhou-a friamente. – Você encontrou o corpo dele. Não reconheceu minha pelagem entre as garras?

Presa Amarela fitava-o, horrorizada. – Ele era um líder condescendente e tolo. Merecia morrer – continuou ele.

– Não – sibilou Presa Amarela, deixando cair a cabeça. Em seguida ela estremeceu. Olhou para Estrela Partida, curvando as costas. – E os filhotes de Flor de Luz? Também mereciam morrer? – perguntou, irritada.

Estrela Partida grunhiu e se atirou sobre Presa Amarela, forçando sua barriga no chão. A gata nem sequer tentou lutar contra as garras afiadas como espinhos. Pata de Fogo, apavorado, viu que os olhos dela estavam embaçados de tristeza.

– Aqueles filhotes eram fracos – Estrela Partida sibilou, inclinando o rosto na direção da orelha de Presa Amarela. – Não teriam utilidade para o Clã das Sombras. Se eu não os matasse, outro guerreiro o faria.

Ouviu-se um lamento de tristeza de uma rainha malhada do Clã das Sombras. Estrela Partida a ignorou. – Eu devia ter matado você quando tive oportunidade – disse, com raiva, para Presa Amarela. – Talvez eu tenha um pouco da condescendência de meu pai. Fui um tolo de deixá-la sair viva do Clã das Sombras! – Ele se jogou para a frente, dentes à mostra, pronto para enterrá-los no pescoço da gata.

Pata de Fogo foi mais rápido. Pulou nas costas de Estrela Partida antes que ele pudesse fechar as mandíbulas. Cravando as garras no pelo emaranhado do guerreiro, arrancou-o de cima da rainha exausta e o atirou nos limites da clareira.

Estrela Partida girou no ar e aterrissou de pé, encarando Pata de Fogo, cuspindo com raiva. – Não perca seu tempo, aprendiz! Partilhei sonhos com o Clã das Estrelas. Você terá de me matar nove vezes antes que eu me reúna a eles. Acha mesmo que é forte o bastante? – Os olhos confiantes brilhavam em desafio.

Pata de Fogo devolveu o olhar. Seu estômago se contraiu. Estrela Partida era um líder de clã! Como podia o aprendiz esperar derrotá-lo? Mas os felinos do Clã das Sombras, que a tudo observavam, tinham começado a caminhar sem barulho e devagar na direção do líder vencido, rosnando e sibilando com ódio. Estavam arrasados e famintos, mas Estrela Partida deu-se conta de que estava em desvantagem numérica. Com um movimento nervoso da cauda, agachou e retrocedeu pelos arbustos. Das sombras, seus olhos brilhavam ameaçadoramente, buscando Pata de Fogo na multidão.

– Isso não acabou, aprendiz – ciciou antes de se virar e sumir na floresta atrás de seus guerreiros alquebrados.

Pata de Fogo olhou para Nevasca. – Devemos ir atrás deles? – miou.

O guerreiro balançou a cabeça. – Acho que entenderam a mensagem de que não são bem-vindos.

Manto da Noite, o guerreiro do Clã das Sombras, concordou. – Deixe-os ir. Se ousarem mostrar a cara de novo, o Clã das Sombras terá força bastante então para lidar com eles sozinho.

Os demais felinos do Clã das Sombras se reuniram nas ruínas do acampamento, prostrados ao perceberem que o líder se fora. *Vai levar tempo para reconstruir esse clã* – pensou Pata de Fogo.

– Os filhotes!

Pata de Fogo ouviu Pata Cinzenta miar em um canto afastado da clareira. Correu na direção do amigo, com Pelo de Rato e Nevasca em seus calcanhares. Quando se aproximaram, ouviram os miados lamurientos dos filhotes vindos de sob uma pilha de folhas e galhos. Rapidamente, Pata Cinzenta e Pelo de Rato vasculharam a folhagem até descobrirem, no fundo de uma depressão do terreno, os filhotes desaparecidos do Clã do Trovão.

– Eles estão bem? – perguntou Nevasca, abanando a cauda, ansioso.

– Estão, sim – respondeu Pata Cinzenta. – A maioria tem apenas pequenos arranhões. Mas esse filhote malhado tem uma ferida profunda na orelha. Você pode examinar, Presa Amarela?

A velha gata estava lambendo as próprias feridas, mas, ao ouvir o chamado de Pata Cinzenta, correu para o lado do buraco onde o gato cuidadosamente colocara o filhote.

Pata de Fogo ajudou Pata Cinzenta a retirar os outros filhotes. O último era uma gata cinza, como os vestígios de um fogo extinto. Ela miou e se retorceu quando Pata de Fogo a colocou no chão. Pelo de Rato reuniu perto dela os demais filhotes, consolando-os com lambidas e carinhos.

Presa Amarela examinou bem a orelha rasgada. – Precisamos conter o sangramento – miou.

Nariz Molhado saiu das sombras, com a pata dianteira envolta em uma camada de teias de aranha, e entregou-as silenciosamente para Presa Amarela. Ela agradeceu com a cabeça e começou a tratar o machucado do filhote.

Manto da Noite aproximou-se do grupo dos felinos do Clã do Trovão. – Vocês ajudaram o Clã das Sombras a se livrar de um líder cruel e perigoso; estamos agradecidos. Mas está na hora de abandonarem nosso acampamento e retornarem ao seu. Prometo que suas zonas de caça ficarão livres dos guerreiros do Clã das Sombras enquanto conseguirmos encontrar comida suficiente em nosso território.

Nevasca aquiesceu. – Cacem em paz por uma lua, Manto da Noite. O Clã do Trovão sabe que precisam de tempo para recompor seu clã. – Voltou-se para Presa Amarela. – E você, Presa Amarela? Quer voltar conosco ou ficar aqui com seus velhos camaradas?

A gata o fitou. – Volto com vocês. Olhou para um corte profundo na pata traseira de Nevasca. – Vão precisar de um curandeiro, para vocês e seus filhotes.

– Obrigado – ronronou Nevasca. Com a cauda, fez um sinal para os felinos do Clã do Trovão, conduzindo-os para fora da clareira. Pelo de Rato e Pele de Salgueiro ajudaram os filhotes, que andavam aos tropeços, exaustos e assustados. Presa Amarela ia ao lado do filhote malhado, erguendo-o pelo cangote sempre que escorregava. Pata de Fogo e Pata Cinzenta seguiam atrás. O cortejo atravessou as amoreiras, passou pela linha de cheiro do acampamento e rumou em direção à floresta.

A lua ainda estava surgindo no céu tranquilo quando o grupo do Clã do Trovão começou a penosa caminhada de volta para casa; ao redor deles, montes de folhas marrons esvoaçavam no chão da floresta.

CAPÍTULO 25

ENCORAJADOS PELO ALÍVIO de voltar para casa, Pata de Fogo e Pata Cinzenta correram na frente da patrulha em direção ao acampamento do Clã do Trovão. Pele de Geada estava deitada no meio da clareira, triste, com a cabeça apoiada nas patas. Quando os dois aprendizes surgiram, ela levantou o nariz e farejou o ar. – Meus filhotes! – gritou. Levantou-se depressa e ultrapassou Pata de Fogo e Pata Cinzenta para encontrar o resto do grupo quando saíssem do túnel.

Os filhotes correram para se aconchegar em Pele de Geada, que enroscou neles o corpo macio e lambeu um a um, ronronando alto.

Presa Amarela parou na entrada do acampamento e observou em silêncio.

Estrela Azul foi ao encontro da patrulha que voltava. Olhou ternamente para Pele de Geada e seus filhotes e então transferiu o olhar para Nevasca: – Eles estão bem? – perguntou.

– Estão, sim – miou Nevasca.

– Muito bem, Nevasca. Receba as homenagens do Clã do Trovão.

Nevasca inclinou a cabeça para aceitar o elogio e acrescentou: – Mas foi graças a esse aprendiz que os encontramos.

Pata de Fogo levantou a cabeça e a cauda com orgulho, pronto para falar, mas ouviu-se o rosnado acusador de Garra de Tigre ressoando pela clareira.

– Por que trouxeram de volta a traidora? – O guerreiro aproximou-se da patrulha decidido e postou-se ao lado da líder.

– Ela não é traidora – insistiu Pata de Fogo, olhando à volta do acampamento. Os outros felinos haviam rapidamente se reunido na clareira para ver os filhotes e cumprimentar o grupo de caça. Alguns, ao localizarem Presa Amarela, dirigiam-lhe olhares de puro ódio.

– Ela matou Folha Manchada! – disse Rabo Longo, irado.

– Vejam entre as garras de Folha Manchada – sugeriu Pata Cinzenta. – Vão encontrar a pelagem marrom de Cara Rasgada, não a pelagem cinza de Presa Amarela!

Estrela Azul fez um sinal para Pele de Rato, que se distanciou da multidão, correndo na direção do lugar onde jazia o corpo de Folha Manchada, que seria enterrado ao amanhecer. Em meio a um silêncio tenso, o clã esperou que ela voltasse.

– Pata Cinzenta tem razão – disse Pele de Rato, arfando, ao retornar à clareira. – Folha Manchada não foi atacada por um gato cinza.

Um murmúrio de surpresa percorreu a multidão.

– Mas isso não significa que não tenha ajudado a sequestrar os filhotes! – sibilou Garra de Tigre.

– Sem Presa Amarela jamais teríamos recuperado os filhotes! – disse Pata de Fogo rispidamente, impaciente por causa da exaustão. – Ela sabia que haviam sido levados por um guerreiro do Clã das Sombras. Estava procurando por eles quando a encontrei. Arriscou a vida voltando ao acampamento do Clã das Sombras. Foi dela o plano de batalha que nos levou ao acampamento e permitiu que derrotássemos Estrela Partida!

Os felinos ouviram as palavras de Pata de Fogo espantados.

– Ele está certo – Nevasca miou. – Presa Amarela é aliada.

– Fico feliz em ouvir isso – murmurou Estrela Azul, buscando o olhar de Pata de Fogo.

O miado ansioso de Pele de Geada soou na multidão. – Estrela Partida está morto?

– Não, ele escapou – disse Nevasca. – Mas jamais voltará a liderar o Clã das Sombras.

Pele de Geada suspirou aliviada e voltou a aninhar os filhotes.

Nevasca olhou para Estrela Azul. – Prometi ao Clã das Sombras que os deixaremos em paz até a próxima lua cheia – explicou. – A liderança de Estrela Partida mergulhou o clã no caos.

Estrela Azul concordou: – Foi uma oferta sábia e generosa. – A líder do Clã do Trovão passou por Nevasca e pelo resto da patrulha, aproximando-se de Presa Amarela. A gata abaixou os olhos quando Estrela Azul tocou com o focinho sua pelagem cinza e áspera.

– Presa Amarela, quero que substitua Folha Manchada como curandeira do Clã do Trovão – Estrela Azul miou. – Tenho certeza de que encontrará sua farmácia como ela deixou.

Os outros felinos murmuravam entre si, agitando as caudas de empolgação. Presa Amarela olhou para eles, ansiosa, e nada disse.

Pele de Geada olhou de relance para as outras rainhas antes de fitar Presa Amarela e, com vagar, acenou com a cabeça, em aprovação.

Presa Amarela inclinou-se respeitosamente para a gata branca, antes de se dirigir à sua nova líder. – Obrigada, Estrela Azul. O Clã das Sombras não é mais o clã que conheci. O Clã do Trovão é agora o meu clã.

Pata de Fogo sentiu uma onda de satisfação ao ver que a velha gata que ele passara a amar seria agora a curandeira de seu clã. Mas sua cauda abaixou quando ele compreendeu que jamais voltaria a ver Folha Manchada na clareira, com a pelagem macia brilhando ao sol, os olhos cor de âmbar cintilando, a saudá-lo na chegada.

– Onde está Pata Negra? – miou de repente Estrela Azul, sacudindo Pata de Fogo de suas lembranças agridoces.

– Sim – Garra de Tigre meteu-se na conversa. – Onde está meu aprendiz? É estranho que tenha desaparecido junto com Estrela Partida. – Deu uma olhada significativa pelo clã.

– Se acha que ele pode estar ajudando Estrela Partida – Pata de Fogo miou decidido –, está enganado!

Garra de Tigre se retesou, com um brilho ameaçador nos olhos amarelos.

– Pata Negra está morto – continuou Pata de Fogo, deixando cair a cabeça, como se estivesse pesada de tristeza. – Encontramos seu corpo no território do Clã das Sombras. Pelos cheiros ao redor, deve ter sido morto violentamente por uma patrulha. – Olhou para Estrela Azul e prometeu: – Vou lhe contar tudo depois.

Presa Amarela disparou um olhar inquisidor a Pata de Fogo, que retribuiu com um pedido silencioso para ela segurar a língua. A gata estremeceu rapidamente as orelhas, mostrando ter compreendido, e desviou o olhar.

– Nunca disse que Pata Negra era traidor – sibilou Garra de Tigre. Fez uma pausa e permitiu que uma expressão de pesar lhe nublasse os olhos antes de voltar a se dirigir ao restante do clã. – Pata Negra poderia ter sido um excelente guerreiro. Sua morte tão prematura e sua perda será sentida por muitos de nós durante muito tempo.

Palavras vãs!, pensou Pata de Fogo com amargor. O que diria Garra de Tigre se soubesse que Pata Negra estava a salvo, muito além da floresta, caçando ratos com Cevada?

Estrela Azul quebrou o silêncio. – Sentiremos falta de Pata Negra, mas devemos pranteá-lo amanhã. Primeiro há um outro ritual que deve ser realizado, no qual sei que Pata Negra teria prazer em estar presente. – Virou-se para Pata de Fogo e Pata Cinzenta. – Vocês mostraram muita coragem esta noite. Eles lutaram bem, Nevasca? – perguntou.

– Como guerreiros – respondeu Nevasca, solene.

O olhar de Estrela Azul encontrou o olhar dourado do guerreiro e ela fez um ligeiro gesto. Levantou o queixo e fixou os olhos na fileira de estrelas do Tule de Prata. A voz clara e pausada se elevou na floresta silenciosa: – Eu, Estrela Azul, líder do Clã do Trovão, conclamo meus ancestrais guerreiros para que contemplem estes dois aprendizes. Eles treinaram arduamente para compreender seu nobre código, e eu os entrego a vocês como guerreiros. – Olhou para Pata de Fogo e Pata Cinzenta, estreitando os olhos. – Pata de Fogo, Pata Cinzenta, prometem respeitar o código dos guerreiros e defender este clã, mesmo a custo de suas vidas?

Pata de Fogo sentiu alguma coisa se agitar dentro dele, um fogo que ardia em sua barriga e soava em seus ouvidos. De repente entendeu que tudo que fizera pelo clã até então – todas as presas que perseguira, todos os guerreiros inimigos com quem lutara – convergia para aquele único momento. – Prometo – respondeu com a voz firme.

– Prometo – disse também Pata Cinzenta, empolgado, com a pelagem eriçada.

– Então, pelos poderes do Clã das Estrelas, dou a vocês seus nomes de guerreiros. Pata Cinzenta, a partir de agora você será conhecido como Listra Cinzenta. O Clã das Estrelas homenageia sua bravura e sua força e nós lhe damos as boas-vindas como um guerreiro do Clã do Trovão. – Estrela Azul deu um passo à frente e repousou o focinho no alto da cabeça inclinada de Listra Cinzenta. Ele abaixou-se ainda mais para lamber respeitosamente o ombro da líder; depois se aprumou e foi se reunir com os outros guerreiros.

Estrela Azul se levantou e observou Pata de Fogo por um momento antes de falar. – Pata de Fogo, a partir deste momento você será conhecido como Coração de Fogo. O Clã das Estrelas homenageia sua bravura e sua força e nós lhe damos as boas-vindas como um guerreiro do Clã do Trovão. – Ela tocou-lhe a cabeça com o focinho e murmurou: – Coração de Fogo, estou orgulhosa de tê-lo como meu guerreiro. Sirva bem ao seu clã, meu jovem.

Os músculos de Coração de Fogo tremiam tanto que ele mal conseguiu se inclinar para lamber o ombro de Estrela Azul. Ronronou, rouco, para mostrar sua gratidão; então, deslizou para se colocar ao lado de Listra Cinzenta.

Miados de homenagem soaram na multidão, e as vozes do clã se elevaram no ar calmo da noite para cantar os nomes dos novos guerreiros. Coração de Fogo! Listra Cinzenta! Coração de Fogo! Listra Cinzenta!

Coração de Fogo olhou para os gatos do clã, vendo rostos que tinham se tornado tão familiares nas últimas luas. Ele os ouviu chamar seu nome e se sentiu inundado pela bondade e pelo respeito que viu brilhar em seus olhos.

– Já é quase lua alta – miou Estrela Azul. – Pela tradição dos nossos ancestrais, Coração de Fogo e Listra Cinzenta devem ficar em vigília silenciosa até o amanhecer e, sozinhos, guardar o acampamento enquanto dormimos.

Coração de Fogo e Listra Cinzenta concordaram solenemente com um aceno.

Quando o resto do clã começou a se dissipar, voltando às tocas, Garra de Tigre passou bruscamente por Coração de Fogo, dizendo baixinho em seu ouvido: – Não pense que pode me vencer pela astúcia, gatinho de gente. Cuidado com o que vai dizer a Estrela Azul.

Um arrepio gelado desceu pela espinha de Coração de Fogo. Estrela Azul precisava saber sobre a traição de Garra de Tigre!

Quando Garra de Tigre retornou à toca dos guerreiros, Coração de Fogo deixou Listra Cinzenta sozinho na clareira e foi procurar a líder. Ela estava do lado de fora da toca.

– Estrela Azul, sei que estou quebrando o voto de silêncio, mas preciso falar com você antes de iniciar a vigília.

Estrela Azul o olhou e balançou a cabeça. – Este é um ritual importante, Coração de Fogo. Fale comigo pela manhã.

Coração de Fogo aquiesceu com uma inclinação profunda de cabeça. De qualquer forma, Garra de Tigre não representava um problema que pudesse ser resolvido em uma noite. Voltou para o lado de Listra Cinzenta no meio da clareira. Os dois amigos trocaram olhares, mas nada disseram.

Coração de Fogo olhou para a lua no céu. Seu pelo laranja brilhava como prata no luar frio. À sua volta, arbustos e árvores estavam envoltos na bruma que deixava a pelagem úmida. Coração de Fogo fechou os olhos e se lembrou dos sonhos que tinha na infância. Os cheiros da floresta fria em suas narinas agora eram reais, e a vida de guerreiro se estendia à sua frente. Sentiu uma alegria enorme surgir das patas e percorrer-lhe o corpo. Então abriu os olhos com uma sacudida. Outro par de olhos brilhava em sua direção, um brilho que vinha da toca dos guerreiros.

Garra de Tigre!

Coração de Fogo devolveu o olhar sem piscar. Agora, ele era um guerreiro. Tinha um inimigo no representante do clã, mas Garra de Tigre tinha nele um inimigo também. Coração de Fogo não era mais o jovem ingênuo que se juntara ao clã algumas luas atrás. Era maior e mais forte, mais rápido e mais sábio. Se estava destinado a se opor a Garra de Tigre, que fosse. Coração de Fogo estava pronto para o desafio.

Este livro foi composto na fonte Minion e impresso
pela gráfica Vox, em papel Lux Cream 60 g/m^2, para a
Editora WMF Martins Fontes, em dezembro de 2024.